Entre l'aurore
et la nuit

DANS LA COLLECTION

Parfums d'ailleurs 🌍

Raja El Ouadili
La vierge dans la cité

Marie C. Laberge
En Thaïlande: Marie au pays des merveilles

Geneviève Lemay
À l'ombre du manguier

Marc-André Moutquin
Inch'Allah
Entre l'aurore et la nuit

La collection **Parfums d'ailleurs** transporte le lecteur
au cœur des cultures les plus exotiques du monde
avec des récits étonnants et des romans fascinants.

Visitez notre site: www.saint-jeanediteur.com

Marc-André Moutquin

Entre l'aurore
et la nuit

roman

Parfums d'ailleurs

Guy Saint-Jean
ÉDITEUR

Catalogage avant publication de Bibliothèque et Archives nationales du Québec et Bibliothèque et Archives Canada

Moutquin, Marc-André
Entre l'aurore et la nuit
(Parfums d'ailleurs)
Comprend des réf. bibliogr.
ISBN 978-2-89455-591-0
I. Titre. II. Collection: Parfums d'ailleurs.
PS8626.O97E57 2012   C843'.6   C2012-941649-5
PS9626.O97E57 2012

Nous reconnaissons l'aide financière du gouvernement du Canada par l'entremise du Fonds du livre du Canada (FLC) ainsi que celle de la SODEC pour nos activités d'édition. Nous remercions le Conseil des Arts du Canada de l'aide accordée à notre programme de publication.

Gouvernement du Québec — Programme de crédit d'impôt pour l'édition de livres — Gestion SODEC

© Guy Saint-Jean Éditeur inc. 2012

Conception graphique: Christiane Séguin
Révision: Alexandra Soyeux

Dépôt légal — Bibliothèque et Archives nationales du Québec, Bibliothèque et Archives Canada, 2012
ISBN: 978-2-89455-591-0
ISBN ePub: 978-2-89455-592-7
ISBN PDF: 978-2-89455-593-4

Distribution et diffusion
Amérique: Prologue
France: Dilisco S.A. / Distribution du Nouveau Monde (pour la littérature)
Belgique: La Caravelle S.A.
Suisse: Transat S.A.

Guy Saint-Jean Éditeur inc.
3440, boul. Industriel, Laval (Québec) Canada. H7L 4R9 • Tél.: 450 663-1777
Courriel: info@saint-jeanediteur.com • Web: www.saint-jeanediteur.com

Imprimé et relié au Canada

AVANT-PROPOS

Il y a quelques années, le compositeur de musique électronique Nicolas Bernier me contacta pour me proposer une idée novatrice: composer une trame musicale destinée à soutenir la lecture d'un roman. Cette idée m'enchanta. Dans les mois qui suivirent, Nicolas composa une trame musicale composée de sept morceaux. Cette trame est depuis parue chez l'étiquette anglaise Home Normal sous le titre «Music for a piano / Music for a Book» et elle est disponible à l'adresse électronique suivante: www.nicolasbernier.com/aurores. Il importe ici de souligner que Nicolas Bernier est un compositeur maintes fois primé, ayant récolté de nombreux prix internationaux et ayant notamment collaboré avec les milieux de la danse, du théâtre et du cinéma. Je vous encourage donc à vous procurer cette trame sonore afin de vivre une expérience à la fois littéraire et musicale.

Marc-André Moutquin

«Et cependant il n'était pas, dans la froide nuit,
d'être qui m'échappât plus infiniment.»

Rainer Maria Rilke

Aux Nunavimmiut

PROLOGUE

Les Inuits expliquaient autrefois la naissance de la lune et du soleil par une histoire: celle de Taqqiq et de Siqiniq. Avant de la raconter, je dois néanmoins préciser quelque chose. Certains spécialistes affirmeraient qu'il s'agit plutôt d'un mythe, d'un récit fondateur, plein de codes et de tabous à ne pas transgresser. Ils ont sûrement raison. Je ne suis pas un anthropologue ou un autre expert du genre. Ma spécialité à moi, c'est la soudure en régions éloignées et la flamme de chauffe de mon chalumeau. Ça ne changera pourtant rien aux faits ni à ce qui doit être compris. Et puis, il faut un jour ou l'autre apprendre à se méfier des détails qui nous éloignent trop souvent de la simple vérité.

Taqqiq était le frère de la belle Siqiniq et tous deux erraient à travers la toundra depuis la mort de leur grand-mère. Un soir, alors qu'ils séjournaient au sein d'un groupe de chasseurs, Siqiniq alla se coucher, tandis que Taqqiq continua à festoyer avec ses hôtes. Pendant la nuit, un inconnu s'introduisit dans l'igloo où Siqiniq dormait. Après avoir soufflé la flamme qui vacillait à la surface du *qulliq*[1], il força la jeune fille endormie à lui faire l'amour, avant de disparaître dans la nuit. Le lendemain soir, pressentant le retour de son agresseur, Siqiniq enduisit ses mains de suie avant d'aller dormir. Lorsque l'inconnu revint la visiter durant son sommeil, elle caressa son visage pour le marquer comme au fer rouge.

Dès qu'il fut parti, Siqiniq quitta la chaleur des peaux qui l'abritaient. Ne sachant où chercher de l'aide, elle se rendit à l'intérieur d'un grand igloo où tous les chasseurs étaient réunis.

---

1 Lampe traditionnelle en pierre.

Elle vit alors son frère dont le visage était barbouillé de suie. Furieuse, elle s'empara d'un couteau et trancha son sein comme on coupe un melon mûr. Elle le lui tendit ensuite en lui disant de le manger puisqu'il l'aimait tant. Taqqiq refusa. Siqiniq s'en fit alors une torche et s'enfuit dans la nuit. Honteux de s'être ainsi fait démasquer, Taqqiq se confectionna une torche à son tour et se mit à la poursuite de sa sœur.

Chasseur émérite, Taqqiq ne tarda pas à rattraper celle qui était maintenant devenue sa proie. Mais au moment d'agripper le capuchon du bel *amauti*[2] de sa sœur, il buta contre un bloc de glace et sa torche s'éteignit en tombant avec lui dans la neige. Vif comme l'éclair, il se releva d'un bond, ressaisit sa torche éteinte et reprit sa course éperdue. Le frère incestueux et la sœur humiliée se poursuivirent ainsi des heures durant en s'aboyant des insultes comme deux *qimmiit*[3] enragés. Puis, lentement, très lentement, on les vit monter dans le ciel. Taqqiq, avec sa torche éteinte, devint la lune blanche et froide. Siqiniq, avec son sein allumé, devint le soleil radieux aux mille rayons d'or.

La première fois que j'ai entendu cette histoire, je n'ai retenu que l'idée d'inceste. Plus tard, j'ai compris qu'il y avait autre chose, une promesse d'espoir, à savoir que de la violence la plus cruelle pouvait naître la lumière la plus pure. Cette interprétation un peu fleur bleue n'engage que moi, mais je sais de source sûre que pour certains Inuits, la trajectoire de ces deux astres pourtant nés de l'agression forme encore de nos jours le sens véritable du monde. Un cycle parfait autour duquel toutes les merveilles de la nature s'inscrivent, à commencer par la grande migration du troupeau de caribous de la rivière aux Feuilles, un

---

2   Vêtement traditionnel féminin dont l'avant descend assez bas pour servir de couverture au bébé et dont l'arrière est assez long pour permettre de s'asseoir en s'isolant dans la neige.
3   Chiens.

événement que les chasseurs attendent impatiemment chaque année pour se délivrer de l'air rance et vicié de ces huit villages bordant la côte de la baie d'Hudson.

Il m'arrive aussi de vouloir poursuivre un tel troupeau, ne serait-ce que pour me libérer un court instant de cette culpabilité qui me ronge depuis l'accident comme un ver à l'appétit insatiable. Mais je ne suis pas un *Inuk*[4]: je ne sais ni tirer ni m'orienter dans la toundra ou sur la banquise. Je dois donc me résoudre à parler, en pensées ou en vrai, autrement j'oscillerais entre l'aurore et la nuit pour longtemps encore.

---

4   «Inuk» est le singulier de «inuit» en inuktitut, soit «un homme».

CHAPITRE UN

Je n'ai rien vu, rien entendu. Forcément, j'étais prisonnier du chantier, de son vacarme et de la flamme bleutée de mon chalumeau qui crachait son lot d'étincelles. Je n'ai appris la nouvelle de l'accident que très tard dans la soirée. C'est mon ami Philippe qui est venu cogner à la porte de mon transit pour me l'annoncer. Dès que je l'ai vu, j'ai compris que quelque chose n'allait pas. Sous ses cheveux blonds ébouriffés et au-dessus de son bel uniforme de pilote aux épaulettes joliment galonnées, ses yeux étaient petits, laiteux, trop fragiles. Ils ressemblaient à des œufs abandonnés au fond d'un trop grand nid.

— Qu'est-ce qui t'arrive?

Philippe avait son visage tout près du mien. Il m'a demandé:

— T'as de quoi boire?

J'avais du whisky, plus beaucoup, mais bien assez pour délier les langues et calmer les esprits. Je suis allé chercher l'une de mes bouteilles que je gardais toujours cachées derrière le meuble de la télévision et j'ai rempli deux grands verres jusqu'à ras bord. Il a bu son verre d'un seul trait. Je lui en ai versé un second. Cette fois-ci, il a pris son temps pour le boire. Après, il m'a dit:

— C'est Martha, elle a eu un accident.

À partir de cet instant, il m'a tout raconté, les moindres détails, comme pour une autopsie.

— On m'a téléphoné ce matin, pour me dire qu'il fallait évacuer un blessé vers Kuujjuaq[5] en Twin Otter[6]. Quand je suis arrivé sur la piste, tout le monde m'attendait: l'équipe médicale

---

5   Village nordique du Nunavik situé sur le bord de la rivière Koksoak, au sud de la baie d'Ungava.

6   Petit avion pouvant atterrir et décoller sur une courte piste.

de garde et David, mon copilote. Le pauvre voulait absolument me parler de la météo, à cause d'un risque de tempête quelque part sur la côte. Je l'ai écouté, pour être certain de ne pas me retrouver en plein blizzard à devoir voler aux instruments.

Je sentais que tout ce qu'il me racontait, son arrivée à l'aéroport, le rapport météorologique, le risque météo, que tout ceci n'était qu'un interminable préambule, une manière de retrouver l'endroit qu'il n'arrivait pas à quitter et d'où il attendait d'être délivré à force de parler.

— Quand je me suis installé aux commandes, je n'ai pas prêté attention à la civière ni au patient qui l'occupait. Tout ce qu'on me demandait, c'était de faire vite, pour éviter les complications en plein vol.

À ce moment, et pour la première fois, Philippe a posé son regard sur moi. J'y lisais toujours l'effroi, l'incertitude, un peu de culpabilité aussi, sans raison évidente, parce qu'il faut bien éprouver quelque chose devant l'horreur et l'impuissance, je suppose. De mon côté, j'aurais bien voulu l'aider, lui dire n'importe quoi, mais je me sentais tout à fait démuni devant son désarroi. Heureusement, il a repris sans se faire prier.

— Au début, le ciel était dégagé. Pas d'ombre au tableau. À mi-trajet, des turbulences se sont mises à nous secouer violemment. Je me suis retourné, pour me faire rassurant. J'ai alors vu Martha cabrée sur la civière. Elle vomissait du sang, des gros caillots aussi!

Je lui ai versé une autre larme de whisky, parce que je sais bien que c'est ce qu'il faut faire, parfois, pour soulager la tristesse et libérer les pleurs que l'on garde trop souvent prisonniers derrière le paravent de nos paupières à demi closes.

— Le médecin qui m'accompagnait a réussi à la stabiliser. Une fois à Kuujjuaq, l'équipe médicale de l'avion-ambulance venu de Montréal a pris le relais. Quand je suis retourné dans le cockpit, le plancher de l'avion était recouvert de sang gelé. J'ai dû prendre un grattoir à glace pour tout nettoyer. À la fin, les manches de mon manteau étaient toutes tachetées de rouge. C'était comme si Martha avait saigné ses blessures sur moi et que je n'avais rien pu faire pour l'en empêcher!

Après, Philippe n'a plus rien dit. Il a seulement répété ce qu'il m'avait déjà raconté, avec un détail de plus, un de moins. Pour le secouer un peu, je lui ai demandé de me raconter ce qu'il savait sur l'accident. Selon toute vraisemblance, il s'agissait d'un accident de motoneige comme il en arrive si souvent au Nunavik[7]. Philippe se demandait d'ailleurs si l'alcool n'était pas en cause. Je lui ai dit que Martha ne buvait pas.

— Dans ce cas, peux-tu m'expliquer comment elle a pu foncer dans une remise située à dix mètres du chemin?

J'ignorais la réponse. Tout ce que je pouvais dire, c'est que jamais je ne l'avais vue sous l'effet de ce mauvais gin de contrebande que l'on pouvait se procurer frauduleusement à dix dollars l'once auprès de certains Inuits. C'est alors que j'ai compris, que tout m'est apparu clair et limpide. Philippe a dû penser à la même chose que moi:

— T'as raison, ça serait pas étonnant, surtout ici.

Je lui ai servi un dernier verre avant de le mettre à la porte. Ma tête tournait comme un carrousel. Je n'en pouvais plus de fatigue et je voulais dormir un peu avant le retour de l'aube. Dehors, le vent d'hiver sifflait sur les toitures glacées. Bien à l'abri sous mes couvertures, je ne pouvais pas m'empêcher de penser à Martha, à tout ce sang qu'elle n'était pas arrivée à garder pour elle, dans le secret de son corps qui cachait déjà bien trop de blessures pour son âge.

La dernière fois que je l'avais vue, elle traînait près du

---

7   Appelé autrefois le Nouveau-Québec, le Nunavik, soit «la terre où vivre» en inuktitut, 507 000 kilomètres carrés.

chantier. Un peu naïvement, je lui avais demandé si elle comptait revenir travailler parmi nous. Elle avait éludé la question et je n'avais pas cru bon d'insister. Je connaissais assez bien Martha pour savoir qu'il était inutile de forcer la conversation. Autrement, elle se serait retranchée derrière ses jolis yeux noirs qui avaient depuis longtemps volé quelque chose à la nuit éternelle. Je suis donc demeuré en retrait, comme un badaud ne sachant qu'observer sans jamais prendre parti.

Il va sans dire qu'un tel manque d'insistance pourrait facilement passer pour de la lâcheté. Ce n'est pas si simple. Rien n'est si simple. Lorsque je suis arrivé au village au mois de mai dernier, mon nouveau contremaître m'a immédiatement mis en garde: «Jacques, si jamais tu tombes sur deux Inuits en train de se taper dessus, tu n'interviens pas. Tu t'arranges seulement pour prévenir la police. Autrement, c'est par avion qu'il faudra t'évacuer pour t'éviter la colère des autres villageois!» Et comme il avait l'air très sérieux, je l'ai écouté, parce que c'est trop souvent ce que les hommes savent faire de mieux.

CHAPITRE DEUX

Philippe m'a téléphoné au début du printemps dernier pour m'annoncer qu'il avait rencontré par hasard un contremaître désespéré de trouver un soudeur prêt à venir travailler au Nunavik dans les plus brefs délais. Celui qu'il employait sur son chantier venait de tomber gravement malade. Un truc chirurgical qui demandait une longue convalescence. Je n'avais pas besoin d'un tel contrat mais, devant l'insistance de mon ami qui rêvait depuis longtemps de me faire découvrir le Grand Nord du Québec, j'ai appelé l'homme en question. C'était un type tranchant qui ne faisait pas dans la dentelle et dont chaque mot pesait lourd dans mes oreilles. En contrepartie, il m'offrait bien assez d'argent pour que j'accepte sa proposition sans faire de chichis. Deux jours plus tard, moi et mon barda nous filions en direction de l'aéroport Pierre-Elliott Trudeau pour prendre notre vol à destination du Nunavik.

En quinze années d'errance professionnelle, je n'avais jamais accepté un contrat au-delà du soixantième parallèle. Mon expérience, je la tenais principalement de la Basse-Côte-Nord et de la Baie-James. On m'engageait pour des périodes d'une durée limitée. J'adorais: pas d'attachement, un bon salaire et du changement à profusion. Je rencontrais des gens, pas longtemps, juste ce qu'il faut pour se taper quelques bières en rigolant. Il m'arrivait parfois de passer la nuit avec des inconnues. Je fréquentais également Caroline, une Gaspésienne un peu frivole qui jouait les serveuses dans un *truck-stop* fréquenté par les routiers de la Baie-James. Incognito, je me cachais derrière une pinte de rousse et j'attendais patiemment la fin de son quart de travail en rêvant de ses cuisses entrouvertes et de ses lèvres bien mûres. C'était une tendresse toute simple, sans artifice ni promesse, comme il en faut parfois pour passer à travers les jours.

Une autre passion m'aidait également à supporter les aléas de mon mercenariat: la pêche. Une fois ma journée de travail terminée, je troquais mon chalumeau pour mes leurres argentés et je partais à la recherche d'une rivière où jeter ma ligne à l'eau, chose qui n'était pas difficile à trouver dans ces régions du nord. Je visais particulièrement les plaques d'écume, là où la truite aime se reposer après avoir combattu le courant. Entre chien et loup, j'allais ensuite me trouver un petit coin tranquille pour regarder naître les étoiles et mourir le jour.

Je n'ai jamais vraiment compris d'où me venait cet amour du silence et de la solitude. Je me souviens seulement qu'enfant, je cherchais à fuir par tous les moyens la mauvaise humeur de mon père qui pouvait pester des heures durant sans jamais reprendre son souffle. Pour ne rien arranger, avec l'âge, il avait pris du préjugé comme on prend du ventre, tellement que de son vivant, j'évitais de lui parler des Cris[8] que je fréquentais à l'occasion et de leurs revendications territoriales auxquelles je ne comprenais pas grand-chose. À bien y repenser aujourd'hui, je crois qu'il entretenait sa colère pour se défendre de quelque chose. De la vérité peut-être? Celle de sa misère qu'il attribuait volontiers aux Anglais, ses ennemis héréditaires, plutôt qu'à lui-même et à son amour inconditionnel de la bouteille.

Le soir, lorsque je rentrais à la maison après l'école, je le retrouvais inévitablement planté devant la télévision, deux ou trois canettes de bière vides à ses pieds. Il n'en finissait jamais de boire, d'écumer sa rage contre tout un chacun. De le voir ainsi enfoncé dans un divan qui, contrairement à ma mère, le

---

8   Peuple autochtone occupant un important territoire au sud et à l'est de la baie d'Hudson et autour de la baie James.

soutenait encore un peu me faisait terriblement souffrir. Je préférais donc passer le plus clair de mon temps dans ma chambre, où je cherchais à comprendre ce qui unissait ces deux inséparables que tout semblait pourtant vouloir séparer. J'essayais très fort mais je n'y arrivais pas. Après tout ce temps passé près d'eux, il subsistait une part de secret, un endroit inviolable où ils m'échappaient et demeuraient mystérieux, inaccessibles, souverains de leur misère et de leur entêtement à la préserver contre vents et marées. Tout ceci est sans importance aujourd'hui. Ils sont morts depuis belle lurette. Lui d'une cirrhose du foie et elle d'une vieillesse encagée dans l'amertume. Une autre forme de maladie.

Contrairement à mes parents, je n'ai jamais accepté de vivre enfermé dans une maison gouvernée par l'indifférence mutuelle. J'ai plutôt choisi l'incertitude de la route et l'appuie-tête en cuir d'une vieille Chevrolet. Philippe m'offrait souvent des billets d'avion au rabais pour m'éviter mes interminables voyagements lorsque je roulais d'un contrat à un autre. Son cœur de pilote n'arrivait pas à comprendre ma préférence pour ces longues distances en solitaire où je n'avais pour toute compagnie que le grésillement désagréable d'un autoradio moribond. Il me disait souvent:

— Tu te sauverais du temps!

Je lui répondais en souriant:

— Du temps pour quoi faire?

L'indéniable penchant de Philippe pour la vitesse me rappelait cet enfant tumultueux que j'avais rencontré pour la première fois à la petite école. Un véritable diable qui ne reculait devant aucun défi. Je l'admirais beaucoup, parce qu'il dégageait une confiance contagieuse et que je ne demandais pas mieux que de me faire contaminer par celle-ci. Maigre et chétif, on me regardait comme une branche fragile qui risquait à tout moment de se briser. C'est sans doute ce qui a poussé Philippe à me prendre sous son aile: un étrange sens de la responsabilité devant la fragilité. Il est devenu mon grand frère et moi, son faire-valoir. Deux rôles que nous n'avons jamais échangés depuis.

Au début de sa carrière au Nunavik, il me téléphonait parfois pour m'annoncer qu'il avait établi un nouveau record de vitesse entre deux villages sur la côte malgré l'interdiction faite aux pilotes de tenter des petits rase-mottes au-dessus de la toundra.

— Quarante-sept minutes, t'imagines?

Je ne m'imaginais rien du tout, mais je le félicitais quand même en feignant d'être impressionné par tous ces records qu'il établissait sans raison évidente semaine après semaine. Au fond, je craignais que sa témérité ne l'emporte un jour sur son jugement. Philippe se faisait pourtant rassurant: il ne risquait jamais la vie de ses passagers. Ce n'était rien pour me convaincre. Je connaissais assez bien mon ami pour savoir qu'il n'admettrait jamais le caractère potentiellement dangereux de ses prouesses aériennes. Je me rassurais donc à mon tour en me disant qu'il devait être hautement improbable d'entrer en collision avec quoi que ce soit dans la toundra. Je me trompais: les pires dangers se cachent souvent dans le vide apparent des choses.

Quand je suis allé m'enregistrer au comptoir de la compagnie d'aviation, la préposée m'a fait déposer mon bagage sur la pesée, une grosse poche de hockey que je peinais à soulever. Je me doutais bien que je dépassais la limite de poids, quelque chose comme vingt ou trente kilos, et que j'allais devoir débourser un supplément assez salé. La préposée ne m'a rien facturé. Elle m'a remis ma carte d'embarquement en souriant.

— Vous êtes l'ami de Philippe?

— Oui.

— Il m'a laissé un message pour vous.

— Quoi?

— Qu'il va vous attendre à Kuujjuarapik[9].

C'était bien Philippe de m'organiser des petits passe-droits et de venir me rejoindre à la première occasion possible. Après tout, il attendait ce jour depuis des années. Il s'était d'ailleurs engagé sur son honneur à m'organiser un voyage de pêche mémorable si j'allais le rejoindre. Malgré sa tendance à l'exagération, je le croyais capable de tout, même du plus beau. C'est d'ailleurs cette promesse, bien plus que tout l'argent que l'on me promettait en échange de mes services, qui m'a finalement poussé à accepter l'offre du contremaître inconnu. En apprenant la nouvelle, la voix de Philippe s'était mise à trembler comme du feuillage dans l'orage. Il n'arrêtait pas de me féliciter, de me dire comme je faisais bien, parce que ce serait sans aucun doute la plus belle expérience de pêche de toute ma vie.

— Je te jure, tu n'auras rien à payer! Pour un Américain, ce serait dix mille dollars, quinze mille peut-être. Mais je connais un bon guide: il s'appelle Joanassie. Il va seulement nous demander de lui rembourser l'essence et la nourriture!

Même si Philippe disait avoir pleine confiance en cet homme, certains détails parmi les plus importants échappaient totalement à son contrôle.

— Je veux quand même te prévenir: pour les Inuits, le temps ça veut pas dire grand-chose. Suffit qu'un caribou se pointe à l'horizon pour les voir s'enfuir dans la toundra pendant des jours. Tu comprends, la chasse et l'appel de la viande, c'est plus fort que tout!

Ce qu'il me racontait là ne me surprenait pas. J'avais roulé ma bosse assez longtemps dans les territoires de la Baie-James et de la Côte-Nord pour savoir qu'avec les Cris et les Innus[10]

---

9 Village situé à l'embouchure de la Grande rivière de la Baleine et dont le nom signifie «petite grande rivière» en inuktitut.

10 Les Innus, autrefois appelés Montagnais, sont un peuple autochtone originaire de l'est de la péninsule du Labrador.

tout se signait au conditionnel. Heureusement, mon nouveau contrat s'échelonnait sur plusieurs mois et je ne doutais pas que l'occasion de partir à l'aventure dans la toundra avec ce fameux guide se présenterait d'elle-même. Je devais seulement être patient advenant un contretemps.

Une fois les portes de sécurité passées, je me suis acheté un café et j'ai gagné l'aire de pré-embarquement. J'allais faire le voyage dans un petit bimoteur. Philippe appréciait ces appareils qu'il disait fiables et très manœuvrables. Sa confiance en ceux-ci était telle qu'il lui arrivait parfois, au retour d'une évacuation médicale, d'installer l'infirmière de garde à la place du copilote pour lui mettre de l'émerveillement plein les yeux et de la reconnaissance plein l'entrejambe. Philippe possédait une solide réputation de tombeur et les vieilles infirmières qui traînaient sur la côte depuis Mathusalem et bien avant enseignaient aux jeunes étourdies de se méfier de son sourire enjôleur et de ses manières racoleuses.

Philippe se moquait éperdument de ces qu'en-dira-t-on en attribuant cet incessant caquetage à la jalousie que ressent natu-rellement un corps ne se voyant plus caressé que par une main esseulée sous le confessionnal des couvertures. Je trouvais son explication puérile, presque malhonnête, mais Philippe répon-dait toujours des idioties du genre lorsqu'il se trouvait acculé devant l'évidence. Il sortait sa grosse voix, ses gros mots, comme s'il voulait faire taire quelqu'un, sa propre conscience peut-être. Il me fatiguait si souvent avec ses justifications à l'emporte-pièce que j'évitais de le confronter pour ne pas m'épuiser inutilement dans des conversations où tous mes arguments seraient balayés du revers de la main. J'aurais peut-être dû m'affirmer davantage au lieu d'être aussi complaisant à son endroit. Je ne sais pas.

Vers huit heures, nous avons commencé l'embarquement. J'ai pris mon sac à dos et je me suis placé en ligne. Dehors, le soleil brillait ferme sur le tarmac. Philippe m'avait pourtant prévenu: les neiges recouvraient toujours la toundra et les glaces empêchaient les Inuits de mettre leurs embarcations à l'eau. Pour se déplacer, il fallait encore compter sur les motoneiges. Quant à la température, le mercure ne dépassait pas les cinq degrés durant le jour et il chutait rapidement au-dessous de zéro à la nuit tombée. Je m'étais donc prévu un manteau doublé en duvet d'oie et une tuque bien chaude.

J'ai présenté ma carte d'embarquement et on m'a laissé passer. En haut de la rampe d'accès, une hôtesse m'a indiqué ma place. J'avais le hublot pour moi et, comme j'occupais un siège situé à la première rangée, je pouvais étirer mes jambes confortablement. Je me demandais si ce n'était pas Philippe qui s'était organisé pour me réserver cette place. La dernière fois que je l'avais vu, cela devait bien remonter à trois mois maintenant, il était débarqué chez moi, à Saint-Sauveur, avec une bouteille de rhum Barbancourt cinq étoiles sous le bras. Nous avions bu jusqu'aux heures avancées de la nuit, un peu pour refaire le monde, un peu pour atteindre le jour. Comme à son habitude, Philippe m'avait saoulé des heures durant avec ses histoires d'aviation.

— Piloter, c'est facile. Mais au-dessus de la toundra, tu dois te méfier, à commencer par les lacs, parce que le ciel s'y reflète comme dans un miroir. Si tu oublies de lire tes instruments, que tu te laisses bercer un peu trop longtemps, tu finis par t'écraser dans ce que tu prenais pour le ciel et ton nom va rejoindre la longue liste des portés disparus!

Aujourd'hui, je lui apportais une bouteille de whisky canadien, rien de très raffiné, mais bien assez pour passer du bon temps entre amis. Cinq autres bouteilles que je n'avais pas l'intention de partager avec quiconque reposaient également dans mes bagages. Le whisky, le vrai, c'était ma manière à moi de me récompenser pour chaque journée passée derrière la flamme de chauffe de mon chalumeau. Je n'en prenais jamais beaucoup. Un tout petit verre, pour m'aider à trouver le sommeil. Un remède sans aucun danger, du moins en apparence.

L'avion avait pris de l'altitude depuis peu. Du haut des airs, je constatais pour la première fois de ma vie l'étendue des zones d'exploitation forestière. Du temps de la Baie-James, il m'arrivait fréquemment de croiser des trains routiers alourdis par des chargements de bois impressionnants. Craintif, je me tassais toujours sur l'accotement pour les laisser passer, de peur d'être frappé de plein fouet. Caroline, que je ne côtoyais qu'à la nuit tombée, me parlait à l'occasion de ces hommes à qui l'on confiait la responsabilité de ces monstrueux convois. Dès qu'ils avaient bu quelques bières, que l'alcool s'était chargé de les délivrer de leurs inhibitions, ils s'empressaient de lui proposer des nuits d'amour éperdu, mariés ou pas, sincères ou non. Elle me le racontait en riant mais je ne m'en formalisais pas. Je savais que je n'étais qu'une comète, quelque chose qui passe et dont on profite comme d'une surprise inattendue. Après tout, à un certain âge, le cœur se nourrit de tout, à commencer par l'éphémère.

Outre les coupes à blanc, une autre menace guettait cette peau d'épinettes, de mélèzes et de peupliers faux-trembles. Un peu partout, des brasiers allumés par l'imprudence de certains campeurs ou par la foudre enfumaient déjà la ligne d'horizon. Chez les Cris et les Algonquins[11], on accusait les compagnies forestières de mettre volontairement le feu à la forêt pour ensuite faire le commerce du brûlis. Tout ceci n'était sans doute que des mensonges, mais les colonnades grisâtres qui montaient en bouillonnant vers le ciel ne mentaient pas. Certains médias

---

11 Groupe de communautés autochtones de langue algonquienne vivant dans l'ouest du Québec et en Ontario, autour de la rivière des Outaouais.

rapportaient que le village atikamekw[12] de Wemotaci[13] serait bientôt en proie aux flammes. Chacun priait à présent pour que le vent tourne et que les copeaux enflammés arrachés aux embrasements soient portés vers le nord afin qu'ils fécondent de leurs semences incendiaires des territoires inhabités.

Fatigué, j'ai fermé les yeux pour me reposer. Mais derrière le paravent de mes paupières closes, le spectacle saisissant des incendies me hantait toujours. J'imaginais le craquement des écorces et la course éperdue des animaux cherchant à fuir cette fournaise infernale. Heureusement, j'étais très haut dans le ciel, bien à l'abri des flammes. Cette position privilégiée serait pourtant de courte durée, car j'allais bientôt me retrouver prisonnier d'un village qu'aucune route ne reliait encore et d'où il me serait impossible de m'enfuir si l'envie m'en prenait.

Pour me rassurer, j'avais demandé à Philippe avant de partir s'il était dangereux de se promener dans la toundra sans être accompagné par un guide chevronné. Selon lui, il valait mieux ne pas s'éloigner du village à moins d'être équipé d'un système de localisation satellite et armé d'un bon fusil. J'ai cru qu'il se moquait de moi mais il ne mentait pas. J'allais le réaliser plus tard en tombant nez à nez sur un loup solitaire alors que j'étais parti seul vagabonder au milieu des terres. Une bête énorme, avec des griffes à vous ouvrir le corps en deux et des crocs à vous hanter pour la vie. Une chance inouïe m'a pourtant protégé. J'aurais dû comprendre, réaliser qu'il s'agissait d'un avertissement, comme le feu de Saint-Elme pour les marins d'autrefois, mais je n'ai pas su résister à l'appel du silence et je suis retourné m'asseoir sur cette pierre perdue au cœur de la toundra.

---

12   Peuple autochtone occupant un territoire situé dans la vallée de la rivière Saint-Maurice et chevauchant les régions de l'Abitibi, du Lac-Saint-Jean, du Centre-du-Québec et de Lanaudière.

13   Village dont le nom signifie «la montagne d'où l'on observe» en atikamekw.

CHAPITRE TROIS

Comme prévu, Philippe m'attendait à l'aéroport de Kuujjuarapik. Il portait des lunettes fumées et une casquette au logo de la compagnie d'aviation qui l'employait. Ses cheveux blonds ébouriffés et sa petite barbe clairsemée lui donnaient un air viril que je ne lui connaissais pas. Je n'avais pas fait trois pas sur le tarmac qu'il m'enfournait déjà dans ses bras trop maigres.

— Crisse, tu te décides enfin à venir me visiter?

— Non, c'est le poisson que je viens voir! l'ai-je taquiné.

Philippe a éclaté de rire. Moi aussi.

— Alors, le vol?

— Sans problème, je pense même qu'on m'a un peu chouchouté à cause de toi. Au fait, tu savais que c'était déjà la saison des feux de forêt?

— Oui mais faut pas t'en faire. À partir d'ici, y'a plus rien à brûler!

Normalement, je devais continuer ma route avec les autres voyageurs en direction de Salluit[14], un village situé à l'extrême nord du Québec. Ma destination finale se trouvait non loin de là. Philippe me proposait de m'y mener lui-même en volant à basse altitude pour que je puisse admirer la toundra d'un peu plus près. Je devais seulement faire transférer mes bagages dans son avion. Cependant, avant de pouvoir décoller, Philippe devait régler quelques détails administratifs. Il m'a demandé de l'attendre à l'intérieur de l'aéroport.

— Donne-moi vingt minutes et on est partis!

Je suis allé m'asseoir sur un banc qui faisait face à une large

---

14 Village situé dans le détroit d'Hudson, à l'est d'Ivujivik et du cap de Wolstenholme, et dont le nom signifie «les gens minces» en inuktitut.

baie vitrée. J'avais l'impression d'être au cinéma et de regarder un film muet rehaussé de couleurs vives. Il y avait le gris des marécages, le brun des souches noircies par la moisissure, le vert des mousses spongieuses, le rouge des champignons sauvages et le bleu limpide du ciel qu'obscurcissaient par endroits des nuées de moucherons affamés. De rares conifères pointaient également en direction des nuages en formant une ligne de démarcation fragile. Au-delà de celle-ci, c'était la toundra, la vraie.

Philippe m'avait souvent parlé de cette vaste étendue peuplée d'arbustes rabougris, de petites fleurs blanches et de lichens poussant au gré des siècles comme de lentes croyances tardant à bâtir leur empire. L'été, le soleil brûlait de tous ses feux jusqu'à minuit et l'hiver, la nuit éternelle régnait en maître et seules les aurores boréales apportaient un peu de lumière à ce monde enténébré. Durant mon séjour au Nunavik, j'allais entendre beaucoup parler de ces phénomènes lumineux, car de nombreuses légendes circulaient à leur sujet. Autrefois, les Inuits croyaient que ces manifestations atmosphériques étaient le fait d'esprits malfaisants ne demandant qu'à jouer de mauvais tours aux voyageurs égarés. Aujourd'hui, ils racontaient plutôt qu'il suffisait de siffler en direction du ciel pour les attirer jusqu'à soi. J'ai beaucoup sifflé mais elles ne se sont jamais approchées. Elles sont demeurées lointaines, inaccessibles, comme les étoiles dans le firmament.

Philippe est finalement réapparu en compagnie d'un homme de haute stature dont les cheveux grisonnants, coupés en brosse, se confondaient avec la blancheur de sa peau. Ses yeux étaient d'une pâleur déconcertante. Un bleu effacé, tirant presque sur le gris. Il me rappelait les huskies sibériens, ces gros chiens au regard céleste si souvent confondus avec les malamutes, une race originaire de l'Alaska. Philippe m'a présenté.

— C'est Maurice, notre médecin dépanneur. Julie, l'infirmière de garde, ne devrait pas tarder à arriver. Avant de redé-
coller, elle voulait saluer quelqu'un au dispensaire du village.

Je lui ai serré la main. Il avait l'air épuisé. Philippe m'a expli-
qué qu'il venait de passer la nuit au chevet d'un chasseur.
L'homme avait accidentellement reçu une balle en plein ventre,
juste en bas du nombril. Heureusement, c'était du petit calibre,
rien d'inquiétant. Je me demandais ce qui leur avait pris de le
descendre ici, à Kuujjuarapik, dans un endroit qui ne possédait
sûrement pas de chirurgien pour extraire la balle. Philippe s'est
fait un plaisir de m'éclairer.

— Tu as raison, on devait l'envoyer d'urgence à Montréal
mais l'avion-ambulance ne pouvait pas atterrir sur la piste du
village. Nous avons donc décidé de faire le transfert ici.

— Ça s'est bien passé?

— Entre toi et moi, les Inuits survivent à tout, même à l'impossible. C'est plutôt l'ennui qui les tue, surtout l'hiver, avec la
nuit qui n'en finit jamais de tourmenter les esprits!

Julie est apparue à son tour au bout d'une demi-heure. Elle
ne devait pas avoir plus de vingt-cinq ans. Ses cheveux roux lui
tombaient sur les épaules dans un torrent de boucles épaisses et
ses yeux d'un vert émeraude lui donnaient un air félin. Philippe
m'en avait déjà parlé. Ils se fréquentaient régulièrement sans
pour autant assumer de titre officiel. À ce compte, je me demandais pourquoi il ne se casait pas avec elle au lieu de continuer à
se lever des filles comme un chasseur des perdrix. Mais Philippe
ne pouvait pas s'empêcher de tester son charme sur tout ce qui
cachait un clitoris. Il s'amusait ainsi à déjouer la réticence des
femmes, un obstacle qui lui apparaissait souvent bien plus difficile à surmonter que tous les vols catastrophes auxquels il avait
pris part dans sa carrière de pilote nordique.

Philippe lui a demandé, en prenant un air détaché:

— As-tu fait ce que tu voulais?

— Oui, on peut partir maintenant si tu veux.

L'avion, un petit Twin Otter aux couleurs criardes, brillait sur le tarmac ensoleillé. Deux mécaniciens s'affairaient encore à vérifier les hélices et le train d'atterrissage. Philippe m'a pris par le bras.

— Viens t'asseoir avec moi dans le cockpit. David, mon copilote, Julie et Maurice vont s'installer derrière pour dormir un peu.

Étonné mais ravi par sa proposition, j'ai pris la place du copilote comme si elle m'appartenait et j'ai laissé Philippe m'emmener vers ce là-bas qu'aucune route ne reliait encore sinon le labour perpétuel des caribous effectuant leur migration annuelle. Je vivais ainsi mes dernières heures de liberté avant d'être de nouveau condamné à la flamme de chauffe de mon chalumeau pour plusieurs mois.

CHAPITRE QUATRE

La toundra s'est rapidement dévoilée devant moi, déconcertante, presque effrayante. Je ne m'étais jamais retrouvé confronté à un tel excès d'espace. C'était un long tapis ponctué par de rares pignons rocheux et des plaques de neige que l'été naissant tardait à rompre. Collé contre le pare-brise de l'avion, j'ai dû passer une heure entière sans parler, juste à m'abreuver les yeux comme s'ils souffraient du désert.

— Tu vas voir, c'est le même spectacle sur mille kilomètres, sauf pour la baie d'Hudson.

J'ai regardé Philippe.

— On doit la survoler?

— En partie seulement.

Une heure plus tard, nous cessions effectivement de survoler la terre ferme. En dessous de nous, d'énormes morceaux de glace aux arêtes bleutées se fracturaient les uns contre les autres avant de reprendre leur migration incertaine vers le sud.

— Regarde!

Philippe pointait un relief incertain qui peinait à prendre sa place dans la blancheur aveuglante du paysage.

— C'est l'île aux ours. L'année dernière, les Inuits y ont abattu vingt-cinq ours polaires.

— Ce n'est pas interdit?

— Il y a sûrement un quota, mais qui tient les comptes? De toute manière, ici, tout le monde peut toujours prétendre à la légitime défense.

— Tu parles comme si tu m'emmenais vivre au Far West!

— C'est à peu près ça.

J'ai regardé Philippe mais il n'a rien ajouté. Derrière,

Maurice, David et Julie dormaient profondément. J'aurais moi aussi aimé faire une petite sieste, mais je ne voulais rien manquer du spectacle. Pour me tenir éveillé, j'ai demandé à Philippe de mettre la radio.

— On ne peut pas dans un avion. Par contre, je peux brancher mon baladeur numérique dans nos casques d'écoute. Qu'est-ce que tu veux entendre?

— N'importe quoi.

Philippe a branché son baladeur et tout y a passé: rock, blues, folk, heavy metal. À un certain moment, les mesures de la *Sonate au clair de lune* de Beethoven se sont même mises à bercer mes oreilles. Je connaissais ce morceau pour avoir entendu ma mère le pratiquer des centaines de fois sur un vieux piano qui avait traîné des années durant dans le sous-sol de notre maison de Pointe-aux-Trembles. Enfant, je croyais qu'elle se pratiquait ainsi dans l'espoir d'améliorer son jeu. Adulte, j'ai compris que cet acharnement musical n'était en fait qu'une manière de fuguer sans avoir à divorcer de mon père. Je pouvais comprendre. À l'époque où je fréquentais encore Sophie, je m'étais moi aussi réfugié dans mon propre silence en espérant que le temps se charge d'aplanir nos différends. Mais le temps qui passe est moqueur: il soude comme il scinde les cœurs.

— Tu penses encore à elle?

Philippe me connaissait sous mes moindres coutures. Il savait qu'à ce moment précis, porté par la musique, je m'effondrais dans mes souvenirs. Cela devait faire une année maintenant que j'étais sans nouvelles de Sophie, mon seul grand amour. Nous nous étions rencontrés au début de nos études collégiales. Elle s'intéressait aux lettres et moi, aux sciences humaines. Contrairement à elle, je n'avais pas obtenu mon diplôme. Pressé de quitter le nid familial pour subvenir à mes propres besoins, j'avais abandonné l'anthropologie et la philosophie pour cogner à la porte d'un institut technique qui offrait une formation de soudeur-monteur à bon prix. Mon cours terminé, je louais un appartement et Sophie emménageait avec moi. Dix ans plus tard, elle refaisait ses boîtes et m'embrassait une dernière fois sur les lèvres. Une rupture gentille, sans haine ni colère, afin de préserver le souvenir rassurant de ce que nous avions été pendant tant d'années.

Au début, nous nous téléphonions par habitude. Il suffisait alors d'un mot mal choisi ou d'un commentaire anodin pour retrouver le chemin de nos anciennes disputes. Inconsciemment, nous cherchions à nous blesser davantage, pour nous sentir bien en droit de quitter ce *statu quo* qui nous empêchait d'avancer tout comme de reculer. Au fond, les ruptures ont toujours besoin d'un peu de violence pour s'apaiser et la colère, c'est bien souvent tout ce qu'on peut trouver pour véritablement passer à autre chose.

Incapable de l'oublier, j'acceptais tous les contrats que l'on me proposait, à commencer par ceux qui m'emmenaient dans les régions les plus reculées du Québec. Si je montais parfois aussi haut que Waskaganish[15], Wemindji[16] ou Chisasibi[17], c'était bien parce que je n'arrivais pas à descendre plus bas, jusqu'à la source de ma propre souffrance. Parfois, je prenais le volant de ma voiture et je conduisais pendant des heures, sans raison évidente, simplement pour m'occuper l'esprit. Cela n'empêchait pas le cortège des souvenirs de me traverser à l'improviste. Mes tripes se tordaient alors comme de la mauvaise vigne et ma tête s'emballait pour plusieurs heures. Au mieux, j'augmentais le volume de la radio et je continuais à rouler jusqu'à la brunante.

---

15 Village cri de la région de la Baie-James situé au confluent des rivières Nottaway, Broadback, Rupert et Pontax, sur la rive orientale de la baie James.

16 Municipalité crie située dans la région de la Jamésie.

17 Municipalité crie située sur la rive sud de la Grande Rivière.

Au pire, je m'arrêtais quelque part et je descendais des verres jusqu'à l'oubli des heures et du jour.

La chair, la vraie, ce sera toujours la pire des terres où semer ses sentiments car une fois plantés, il faut compter des années pour les déraciner jusqu'au dernier. Pour ne rien arranger, il y a toujours un petit bout de racine pour résister au défrichage, un peu comme si quelque chose refusait obstinément d'abdiquer en nous et que nous laissions une lumière allumée à l'intention d'un voyageur parti depuis trop longtemps pour pouvoir retrouver son chemin. On se surprend alors à regretter les disputes d'autrefois, parce que celles-ci nous situaient dans ce monde impossible en sous-tendant pourtant une place privilégiée: celle d'un autre corps disposé à aimer au-delà de l'absurde.

Incapable de supporter le moindre silence, Philippe a voulu me changer les idées.

— Tu vois encore Caroline?

— Ça fait deux mois maintenant que je ne l'ai pas vue. Et toi, avec Julie?

Philippe a jeté un coup d'œil par-dessus son épaule puis il m'a chuchoté à l'oreille:

— Tu connais la chanson, on se dit que c'est juste pour le cul, qu'on veut pas d'attachement, juste du bon temps, mais quelqu'un finit toujours par commettre l'erreur de s'attacher.

— C'est toi?

— Non, elle.

— Tu t'attendais à quoi?

Philippe a haussé les épaules.

— À rien j'imagine.

À l'extérieur, le soleil commençait à rompre les rangs et de longues stries noirâtres entrecoupées de tachetures violacées coulaient maintenant dans le ciel. Derrière, les corps endormis quittaient lentement l'univers des limbes pour retrouver le monde des vivants. Maurice fut le premier à venir nous voir.

— On arrive bientôt?

Philippe a regardé sa montre.

— Trente minutes.

Satisfait, Maurice a rabattu son capuchon liséré de fourrure sur sa tête avant d'aller se recoucher. Julie a saisi l'occasion pour venir faire un petit tour dans le cockpit. Elle a passé son bras autour du cou de Philippe.

— On soupe ensemble ce soir?

— Non, je veux passer du temps avec Jacques.

— On se voit après alors?

— Peut-être, mais je dois me coucher tôt.

Il ne faisait aucun doute à mon esprit que mon ami cherchait à éviter la belle infirmière. Sans doute espérait-il ainsi casser cet élan amoureux qu'il devinait et qui risquait à tout moment de briser leur entente initiale. Il suffisait pourtant de jeter un simple coup d'œil à Julie pour comprendre que plus rien ne pouvait être tenté pour endiguer le déferlement de ses sentiments. Elle restait là, immobile et silencieuse, prisonnière de ce siège maladroit qu'elle tenait dans l'espoir de voir Philippe revenir sur sa décision, chose qu'il ne ferait pas. À sa place, je me serais taillé vite fait bien fait au lieu de persister dans une position aussi humiliante, car ce n'était pas dans ma nature de tendre la joue en espérant un revirement de fortune. Je m'en voulais parfois d'être si peu combatif et de toujours préférer battre en retraite, mais je n'y pouvais rien. C'était ma nature depuis l'enfance, une manière de me rappeler qu'on ne sort jamais vraiment indemne de notre relation avec nos parents ni avec le reste du monde.

CHAPITRE CINQ

La piste d'atterrissage est apparue comme un songe à travers la densité des ténèbres. Une petite bande de terre graveleuse éclairée par des balises bleutées. Philippe a d'abord prévenu l'opérateur-radio de l'aéroport de son arrivée puis il a entamé les manœuvres d'approche. Je me suis cramponné à mon siège. Il y a eu un petit impact et tout était terminé. L'avion ne bougeait plus. J'ai enlevé mon casque-écouteur et je suis allé rejoindre les autres passagers à l'arrière. David a ouvert la porte pour nous laisser sortir. Maurice et Julie sont descendus en premier. Je les ai suivis sans attendre Philippe. Dehors, le vent soufflait du nord et des petites âmes enneigées tourbillonnaient le long de la piste avant d'aller se perdre dans le ciel. J'ai enfoncé ma tuque sur ma tête et j'ai marché en direction du petit aéroport de campagne qui se dressait devant moi. Derrière celui-ci, je devinais les lumières du village. Une minuscule collection de maisons et de bâtiments municipaux située à la jonction de la toundra et de la baie d'Hudson et qui, à la manière d'une suture, cherchait à relier ces deux infinis. À l'intérieur de l'aéroport, l'air était sec, presque étouffant. Philippe n'a pas tardé à venir me rejoindre.

— On passe d'abord à ton transit pour déposer tes bagages. Après, on va manger un morceau au Staff House si tu veux.

— Le Staff House?

— C'est une maison réservée pour les pilotes qui séjournent en permanence au village.

J'allais lui demander de m'en dire davantage lorsqu'une forme imposante s'est soudainement matérialisée devant nous. Le temps d'un instant, j'ai cru voir apparaître un Minotaure, une sorte de monstre sorti tout droit d'un conte pour enfants. L'homme avait des épaules comme des portes de grange et une tête énorme masquée en partie par une épaisse barbe rousse. À sa ceinture, il portait tout l'attirail du parfait policier, à commencer par un pistolet dont la crosse lustrée dépassait de son étui. Philippe s'est approché de lui en souriant.

— McIntosh!

Mais au moment de lui serrer la main, il s'est arrêté net, comme pétrifié par un mauvais sort. Derrière l'imposant policier, un Inuit menotté cherchait à fuir notre regard.

— Sacrement!

J'ai regardé Philippe.

— Quoi?

— C'est Joanassie!

L'homme, qui était recroquevillé sur lui-même, portait un chandail de laine maculé de sang séché. Sa joue droite pleine d'ecchymoses ressemblait à un fruit trop mûr. Sous son œil gauche également tuméfié, une estafilade profonde avait été suturée.

— Le guide dont tu me parlais?

Il n'a pas répondu. Le Minotaure lui a demandé:

— *The medevac*[18]?

— Sans problème. Et lui?

— *I'll tell you later*, a-t-il répondu en faisant un signe de la main.

Nous avons laissé le Minotaure et son prisonnier derrière nous. À l'extérieur de l'aéroport, David nous attendait au volant d'une camionnette blanche. Julie et Maurice n'étaient plus là. Ils avaient dû prendre un autre véhicule. Philippe s'est installé à l'avant du côté passager. David a mis la clé dans le contact et nous sommes partis.

---

18   Contraction de *Medical evacuation*.

Le village était situé à moins d'un kilomètre de l'aéroport. Pour s'y rendre, il suffisait de suivre une petite route en terre battue. Un peu partout, des enfants pleins d'entrain s'amusaient à chevaucher des congères malingres que le retour théorique du printemps tardait à faire disparaître. Plusieurs semaines d'ensoleillement seraient encore nécessaires pour nettoyer la toundra de ses dernières neiges.

David a garé la camionnette devant un immeuble d'appartements haut de deux étages. Philippe m'a aidé à porter mes bagages. Dans la cage d'escalier, nous sommes tombés sur un homme à la mine patibulaire. Je l'ai salué sans m'arrêter car je voulais voir mon transit. Comme je m'y attendais, celui-ci n'avait rien d'impressionnant: un petit deux-pièces abritant un vieux téléviseur et des électroménagers désuets. Mon lit semblait confortable et je n'avais pas à partager ma salle de bain avec quiconque. Je devais néanmoins faire attention pour ne pas vider trop rapidement le réservoir d'eau. Le remplissage de ce dernier ne se faisait qu'une fois par semaine.

J'ai rapidement rangé mes affaires et nous sommes retournés à la camionnette. J'avais l'estomac dans les talons. Philippe aussi. Il a demandé à David de nous conduire au Staff House sans prendre le temps de me faire visiter le village. De toute manière, il n'y avait rien à voir selon lui sinon des maisons préfabriquées et des édifices municipaux sans aucun charme. Seule la maison des pilotes faisait exception à la règle. Bâtie sur une petite langue de terre qui s'avançait dans la baie avec du bois traité livré par bateau, son aspect était accueillant, presque champêtre. L'entrée principale menait directement à une grande pièce qui faisait office de salon et de salle à manger. Dans un coin, une arche de dimension raisonnable s'ouvrait sur un corridor faiblement éclairé qui menait aux chambres du personnel navigant. Dans la cuisine, un énorme chaudron en fonte noire fumait tranquillement sur la cuisinière. David a souri.

— Encore un petit plat mitonné avec amour par Christian!

— Je me demande où il est, s'est interrogé Philippe à haute voix.

Le son étouffé d'une chasse d'eau s'est fait entendre et Christian a fait son apparition. De taille moyenne, des cheveux bouclés châtain clair, un visage délicat, des doigts effilés, il ressemblait au Petit Prince de Saint-Exupéry. En nous voyant, il s'est écrié:

— Vous êtes enfin arrivés!

Puis, en me tendant gentiment la main:

— Tu es sûrement Jacques, l'ami de Philippe?

— Oui.

— Enchanté, moi c'est Christian, le second pilote de garde. Vous devez tous avoir très faim. Asseyez-vous, je vais vous servir à manger!

Nous nous sommes attablés autour d'une petite table en pin sans nous faire prier. Christian a déposé le chaudron en fonte sur une planche de bois puis il a soulevé le couvercle. Un parfum aux accents de thym, de laurier et de genièvre a rapidement envahi la pièce. En remplissant nos assiettes, Christian a précisé:

— J'ai mélangé de l'oie sauvage, du lapin et du caribou avec les derniers légumes disponibles au magasin général.

David a paru intrigué.

— Es-tu allé à la chasse dernièrement?

— Non, c'est un cadeau du vieux Tulugaq.

Affamés, nous avons mangé avec appétit. Vers la fin du repas, le Minotaure a fait son apparition. Son visage portait les traits d'une fatigue sans nom. Les pilotes le regardaient avec un air de déjà-vu. Christian lui a servi une assiette qui aurait pu rassasier une armée tandis que Philippe se levait pour aller chercher une bouteille d'alcool dans une armoire tenue sous clé. En se rasseyant, il a demandé au gros policier :

— J'ai vu que tu avais passé les menottes à Joanassie. Qu'est-ce qu'il a encore fait ?

— *He beat Martha with a baseball bat.*

— Je pensais qu'il était en probation et qu'il n'avait pas le droit de l'approcher...

Le Minotaure lui a répondu, mais en français cette fois :

— C'est vrai, mais par manque de logements, on a dû les laisser dans la même maison.

Philippe a pris un air cynique.

— Qu'est-ce que tu pensais, qu'on allait construire une prison juste pour lui ?

Le Minotaure lui a jeté un regard noir comme de l'encre de sèche.

— *No, this village is already a prison.*

Je ne connaissais pas le Minotaure depuis très longtemps, mais j'étais certain qu'il ne pensait pas un traître mot de ce qu'il disait. Je crois simplement qu'il voulait battre Philippe sur son propre terrain, pour que ce soit à lui d'être acculé devant la stupidité d'un propos auquel on ne peut rien répondre. Philippe a rapidement réalisé sa bêtise. Pour se faire pardonner, il a rempli sept verres de whisky. Un pour chacun de nous et trois pour le Minotaure.

Le premier verre a calmé le gros policier, le second s'est chargé de l'amadouer et le troisième n'a pas tardé à l'enivrer aussi sûrement que deux et deux font quatre. Ses joues ont pris un joli rouge et les vaisseaux sanguins qui sillonnaient les ailes de son nez se sont dilatés jusqu'à former de petites rivières sinueuses. Lui, je devais l'apprendre plus tard, il était débarqué au Nunavik dans l'espoir d'obtenir une expérience profession-nelle susceptible de séduire les examinateurs de la Gendarmerie Royale du Canada. Trois années s'étaient maintenant écoulées

depuis son arrivée au village et jamais il n'avait soumis sa candidature aux autorités compétentes. Comme quelques autres
avant lui, il avait succombé au charme étrange de la toundra et
de ses habitants, un mystérieux sortilège qui poussait parfois un
professionnel venu du sud à s'installer pour de bon au Nunavik.

Vers minuit, Philippe est allé me reconduire à mon transit.
Je me suis rapidement mis au lit. Thibault, mon nouveau contremaître, m'attendait aux premières heures devant l'entrée du
chantier. Il voulait me le faire visiter personnellement et m'expliquer par la même occasion ce qu'il attendait de moi. Je ne
m'en faisais pas trop. Le Nunavik, la Baie-James ou la Basse-
Côte-Nord, ça ne faisait aucune différence à mes yeux. Je
connaissais mon métier et je maîtrisais parfaitement la flamme
de chauffe de mon chalumeau. Que pouvait-il bien m'apprendre
que je ne savais pas déjà?

CHAPITRE SIX

Je n'avais pas très bien dormi. Toute la nuit, des véhicules motorisés avaient sillonné bruyamment les rues du village. J'aurais souhaité que le Minotaure intervienne pour faire cesser ce boucan de tous les diables, mais le whisky s'était apparemment chargé de l'assommer jusqu'à l'aube. Épuisé mais incapable de fermer l'œil, j'ai roulé sur moi-même pendant des heures si bien que mes idées se sont lentement mises à s'entremêler de manière chaotique pour ne plus former qu'une trame décousue où réapparaissaient pêle-mêle des souvenirs peuplés de visages disparus et de lieux oubliés. Je revoyais mon père enfoncé dans son divan, ma mère prostrée sur son piano, Sophie dénudée devant mes yeux éblouis, Caroline derrière son comptoir crasseux et Philippe dans son bel uniforme de pilote qui m'attendait sur le tarmac d'un aéroport inconnu avec ses bras grands ouverts et son sourire en demi-lune.

Vers cinq heures du matin, j'ai dû me résoudre à quitter la chaleur de mon lit. J'ai déposé ma cafetière italienne sur l'élément rougissant de la cuisinière et je me suis installé à la fenêtre du salon pour regarder le village émerger dans la lumière du jour. Carrées, revêtues avec des planches de bois et des plaques de tôle colorées, des dizaines de maisons bordaient des rues graveleuses. Elles s'élevaient généralement sur deux étages et ne possédaient qu'une seule porte d'entrée. Garés devant celles-ci, des motoneiges et des quatre-roues encadraient des canots retournés sur le dos et des traîneaux recouverts avec des bâches imperméabilisées. J'avais l'impression que chaque maison cherchait à me montrer que ses occupants possédaient avant tout un moyen pour s'évader loin d'ici, comme si tout ce village n'existait que pour se sortir de lui-même.

Selon les indications de Thibault, le chantier était situé en plein cœur du village. Il s'agissait d'une école dont la structure en acier était terminée depuis l'automne précédent. Un premier revêtement extérieur avait été posé pour permettre aux ouvriers de travailler à l'intérieur des murs pendant l'hiver, mais une erreur quant à l'estimation des matériaux nécessaires à la réalisation de certains travaux avait forcé un réajustement des échéanciers. On prévoyait maintenant terminer l'école pour novembre prochain. Thibault en rageait. Lorsque je lui avais parlé pour la première fois au téléphone, il ne s'était pas gêné pour se plaindre de sa situation.

— Le problème, c'est que je dois tout faire monter par bateau, même le plus petit marteau. Mais d'octobre à juillet, y'a rien qui peut monter ici à cause des glaces. Ça fait qu'on peut bien nous casser les oreilles avec le réchauffement climatique autant comme autant, moi je te le dis, la navigation dans l'Arctique, c'est des conneries!

Je n'avais eu qu'à discuter avec lui quelques secondes pour me sentir inquiété par son discours émotif, presque bête, qui me rappelait les interminables sermons de mon père. Après des années passées sur les échafaudages, je savais que l'on pouvait s'adapter à tout, sauf à la bêtise d'un contremaître un peu trop porté par ses propres émotions. Craintif, je m'étais informé à son sujet auprès de Philippe qui avait cherché à me rassurer.

— Tu sais, je le connais pas beaucoup, mais tout le monde dit qu'il se comporte correctement sur le chantier. Il doit juste être sous pression à cause de cette histoire de livraison de matériaux, une erreur qui n'était pas la sienne d'après ce que j'ai réussi à comprendre. Allez, faut pas t'en faire surtout!

La confiance habituellement contagieuse de Philippe n'avait pas réussi à me convaincre et j'appréhendais toujours ma rencontre avec Thibault alors que je remontais la rue principale. Je dois pourtant admettre que mes premières impressions furent positives et que rien ne laissait présager la folie qui s'emparerait de lui au fil des semaines. Adossé contre un conteneur, il m'attendait comme convenu à l'entrée du chantier. Concentré, il essayait de s'allumer une cigarette malgré un vent à vous déboiser un caribou. Il a attendu que je sois arrivé près de lui pour poser ses yeux sur moi.

— Jacques?

Trapu, le crâne dégarni, une peau tirant sur le gris et des lèvres trop minces pour l'épaisseur de son visage, il dégageait un je-ne-sais-quoi de grave et de triste à la fois. Je lui ai serré la main. Le contact de sa paume calleuse m'a déplu. Il m'a demandé sans doute par convenance si j'avais eu de la difficulté à le trouver.

— Non, mon transit est juste en bas de la rue.

Nous avons ensuite marché autour du chantier. Il n'y avait pas grand-chose à voir ni à dire. C'était un bâtiment rectangulaire de grande dimension dont l'ossature solide était composée par l'enchevêtrement de grosses poutres d'acier montées sur une immense plateforme soutenue par des pilotis en acier galvanisé. Le revêtement extérieur avait relativement bien résisté à l'hiver, même si certains segments avaient été endommagés par le vent et la neige. Des bâches et des toiles plastifiées avaient été installées pour servir de coupe-vent.

— Il nous manque encore des panneaux pour terminer le revêtement extérieur. Si tout va bien, le premier bateau chargé de matériaux devrait arriver au début juillet. Je te jure, chaque jour je prie pour le voir apparaître sur la ligne d'horizon!

Comme je ne connaissais pas la nature exacte de l'erreur de planification, je n'ai pas cru bon de passer le moindre commentaire. Après tout, si Thibault était davantage responsable pour cette bévue aux conséquences non négligeables, car je ne doutais pas que le retard pris entraînait des coûts importants, il valait mieux que je n'en rajoute pas trop. De toute manière, mon nouveau contremaître ne semblait pas s'intéresser à mon opinion. Au contraire, il appréciait de toute évidence ma tendance à opiner silencieusement de la tête. Ce n'était pas étonnant: on ne veut jamais d'un subalterne avec des idées.

Notre balade au grand air terminée, Thibault m'a poussé vers l'entrée principale. Avant d'entrer, j'ai secoué mes pieds pour faire tomber la petite neige qui s'était accumulée sur mes bottes. L'intérieur du bâtiment était éclairé par des groupes halogènes dont les lumières puissantes mettaient en évidence les visages aux traits tirés des travailleurs. Il s'agissait pour la grande majorité de Québécois, mais quelques Inuits aux cheveux noirs et à la peau brune se trouvaient également parmi eux. J'ai demandé à Thibault s'ils possédaient des cartes de compétence ou une formation professionnelle pertinente. Il a haussé les épaules, comme si la réponse était évidente:

— Certains oui, d'autres non. De toute manière, ça n'a pas d'importance, parce que je n'ai pas le choix de les faire travailler à cause de la convention de la Baie-James et du Nord québécois. Mais tu me fais justement penser, je dois absolument te présenter quelqu'un.

— Qui?

— Martha, notre interprète.

Assez petite, des épaules fragiles, une poitrine généreuse, elle n'était pas vilaine à regarder. Par contre, son regard semblait avoir emprunté quelque chose à la banquise. Il était froid et à la dérive. Cette impression était accentuée par les ecchymoses qui cerclaient ses yeux comme des joncs d'amoureux. En mon for intérieur, j'ai frissonné, parce que ces marques en racontaient large sur sa vie. Thibault, lui, n'a rien laissé transparaître. Il s'en est tenu aux faits:

— Martha parle français, anglais et inuktitut. Si tu as des questions, commence par elle. Elle connaît le chantier comme sa poche. Pour le reste, tu n'auras qu'à venir me voir. Ma roulotte de commandement est située à l'entrée du chantier.

J'aurais voulu lui serrer la main mais Thibault ne m'a pas laissé le temps de le faire. Il m'a entraîné vers une autre section du chantier. J'étais bien étonné qu'il ne passe aucun commentaire sur les marques évidentes de coups et blessures que cette femme portait au visage comme une preuve accablante de ce qu'elle avait dû endurer. Ce n'est qu'une fois la visite terminée qu'il s'est permis cette mise en garde :

— Jacques, tu dois vite comprendre quelque chose de très important. Si jamais tu tombes par hasard sur deux Inuits en train de se taper dessus, tu n'interviens sous aucun prétexte. Tu t'organises seulement pour me prévenir, autrement, je vais devoir te sortir du village pour t'éviter des ennuis avec les autres villageois qui ne veulent pas voir les *Qallunaat*[19] se mêler de leurs affaires!

Le message ne pouvait pas être plus clair et je comprenais très bien ce que ce nouveau contremaître attendait de moi. Je devais me concentrer sur mon travail, sur cette école qu'il fallait terminer dans les plus brefs délais malgré les erreurs de livraison et les échéanciers impossibles. Son petit laïus était pourtant inutile. Je n'avais pas l'âme d'un superhéros ni l'impulsivité d'un bagarreur. En fait, j'avais appris depuis longtemps à me tenir loin des empoignades qu'un simple mot, ou alors la proximité dangereuse de ces vies malheureuses qui s'accumulaient parfois par grappes entières sur les échafaudages du monde entier, pouvait déclencher.

Après m'avoir laissé l'avant-midi pour me familiariser avec

---

19 Terme inuktitut signifiant «grands sourcils» et servant à désigner les hommes blancs. Au singulier, il faudra dire *Qallunaaq*.

mon nouvel environnement, Thibault m'a demandé d'aller jouer du chalumeau au premier étage pour le reste de la journée. Ce n'était rien de très compliqué: de petites retouches sur des points de raccordement. Je suis allé chercher le chariot avec les bouteilles d'oxygène et d'acétylène. J'ai desserré la vis de détente et j'ai ouvert les vannes. Une fois le chalumeau allumé, je me suis assuré que la flamme de dard était bien nette, sans auréole, pour effectuer une soudure parfaite. Pour le reste, je savais ce qu'il fallait faire pour éviter les retassures ou les fissurations à froid. Le secret résidait dans la vitesse et l'angle de soudage, deux choses que je maîtrisais assez bien.

Vers dix-neuf heures, après avoir soigneusement rangé mes outils et nettoyé mes buses, j'ai quitté le chantier en ne rêvant que d'un peu d'air frais. Philippe m'avait invité à souper au Staff House mais avant d'aller le rejoindre, je voulais passer au magasin général pour faire quelques achats. Selon ce que j'avais pu comprendre, le magasin se trouvait un peu plus haut sur la rue principale et il était facilement identifiable à ses façades jaunes et au gros drapeau de la Fédération des Coopératives du Nouveau-Québec qui flottait devant la devanture.

Cinq minutes de marche ont suffi pour m'y rendre. Postés devant l'entrée du commerce, des enfants s'amusaient à cogner du pied sur une canette vide qui poussait des gémissements métalliques en roulant sur le sol graveleux. Je suis passé à côté d'eux sans les saluer. À l'intérieur du magasin, le choix n'était pas grand, pour ne pas dire inexistant. On trouvait surtout des boîtes de conserve et de la nourriture déshydratée. Il y avait une section de produits frais, mais la majorité des fruits et des légumes étaient trop mûrs ou déjà entamés par la moisissure. Pour la viande ou le poisson, il fallait fouiller dans des congélateurs commerciaux situés à l'arrière du magasin. On pouvait également se procurer des appareils électroniques, des cigarettes, des munitions et des armes à feu, gardés sous clé derrière des présentoirs vitrés. Je me suis acheté une pinte de lait, un pain, un pot de confiture, des cigarettes et des allumettes. J'ai dû débourser quarante dollars, une somme assez coquette pour si peu de choses.

Ignorant le chemin pour me rendre au Staff House, j'ai marché sans trop savoir en direction de la baie. Autour de moi, les maisons s'alignaient avec une monotonie déconcertante et seuls quelques détails, comme des bois de caribou cloués au-dessus des fenêtres ou des chiens endormis à l'ombre des façades délavées, les différenciaient. Un plain-pied situé non loin de la grève a pourtant attiré mon attention. Épinglé sur une corde à linge qui lui faisait face, un grand drapeau mohawk claquait au vent. On reconnaissait le profil sévère du guerrier sur son éclaté jaune. Aujourd'hui encore, on le voit parfois flotter sur la structure du pont Mercier près de Châteauguay lorsque les esprits s'échauffent pour des questions de développements immobiliers et de territoires ancestraux. Je m'expliquais difficilement sa présence dans ce village du bout du monde, mais c'était peut-être comme le drapeau tricolore des patriotes, une sorte de symbole autour duquel les hommes se rassemblent sans trop comprendre pourquoi, comme un feu pour ceux qui ont froid.

J'ai tourné en rond une demi-heure avant de retrouver l'emplacement du Staff House. Je n'ai pas cogné à la porte et je suis entré. Philippe, Julie, Christian et Maurice étaient assis au salon. Dès qu'il m'a vu, Christian s'est empressé de me demander si j'avais faim et si je voulais qu'il me réchauffe quelque chose. Je me sentais un peu mal à l'aise de me faire servir ainsi, mais j'étais trop fatigué et trop affamé pour jouer les fils de bonne famille. En fait, je crois même lui avoir répondu que je mourais de faim. En entendant cela, Christian s'est levé d'un bond pour aller à la cuisine. Philippe n'a pas pu s'empêcher de le taquiner.

— Christian, t'es vraiment la meilleure des ménagères. En plus, faut même pas te faire jouir après pour te remercier!

Julie lui a lancé, mi-sérieuse:

— Crisse que t'es con!

Comme toujours, Philippe cherchait à provoquer pour attirer l'attention sur lui. Heureusement, je le connaissais trop bien pour me laisser prendre à son petit jeu et m'offusquer à mon tour de ses propos. Je me suis plutôt tourné vers Julie.

— Sais-tu si la femme de Joanassie travaille sur le chantier?

— Pourquoi, tu l'as vue?

— Peut-être. Ce matin, mon nouveau contremaître m'a présenté à une interprète qui s'appelle Martha. Je te jure, elle avait un œil au beurre noir gros comme ça!

Julie a paru affligée.

— C'est probablement elle.

Tout le monde s'est alors mis à parler de Martha, de son mari et de cette violence quasi endémique qui sévissait dans le village comme une lèpre folle. Comme n'importe qui au Québec, j'avais entendu parler de la misère qui pourrissait le Nunavik mais, avec le temps et l'expérience, j'avais également appris à me méfier de tout ce que les médias pouvaient bien rapporter pour appâter de nouveaux auditeurs. J'aurais même continué à douter si des anecdotes terribles ne s'étaient pas mises à fuser de part et d'autre de la table. Philippe menait la conversation, mais Maurice et Julie n'étaient pas en reste. Il n'y avait que Christian pour chercher à faire contrepoids.

— Battre quelqu'un, ce n'est jamais bien, mais c'est parfois le début de quelque chose.

Philippe lui a demandé, sur un ton moqueur:

— Le début de quoi?

— D'une certaine révolte, d'un refus ou même d'un corps qui cherche à s'opposer à son destin. Faudrait juste qu'ils arrêtent de se taper dessus. Ils devraient plutôt s'attaquer à nous, les Blancs. Après tout, ce sont pas les raisons qui leur manquent!

Il y avait quelque chose de terriblement beau dans cette idée de corps s'opposant à son destin, tellement que je doutais que cette idée soit véritablement de lui. Je me demandais s'il n'avait pas lu cette phrase quelque part et s'il ne cherchait pas maladroitement à l'utiliser ici pour inverser le cours de la conversation. J'allais lui demander de s'expliquer davantage, mais Maurice est intervenu avant moi.

— T'as peut-être raison, mais tu verras jamais une bande d'Inuits s'attaquer à un Blanc, parce qu'ils veulent surtout pas faire face à la justice du sud. Par contre, ils savent très bien que de s'entretuer entre eux, ça porte pas trop à conséquence. Tout le monde sait que la peau d'un Inuit vaut moins cher que celle d'un *Qallunaaq!*

Christian n'a rien rétorqué; au contraire, il s'est levé pour aller faire du thé dans la cuisine. Je suppose qu'il aurait aimé se sentir soutenu par quelqu'un, mais personne ne semblait vouloir se porter à la défense des Inuits ce soir. Je trouvais cela étrange car j'étais certain que si Maurice et Philippe travaillaient encore ici après toutes ces années, ce n'était pas que pour toucher de généreuses primes d'éloignement, mais également parce qu'ils aimaient ce village et ses habitants. J'avais seulement l'impression qu'à force de se sentir impuissants, de ne servir qu'à tricoter des points de suture sur des blessures trop profondes pour être véritablement refermées, ils s'étaient tous réfugiés, à l'exception de Christian, derrière un cynisme d'apparat. L'humour noir a pourtant ses limites et je n'avais qu'à regarder Julie, qui sanglotait maintenant en parlant de la violence faite aux femmes du village, pour réaliser la sincérité de sa peine et de son désarroi.

Julie se souvenait d'un matin où elle avait trouvé Martha recroquevillée devant les portes du dispensaire. La pauvre femme serrait son nez cassé d'une main tandis qu'elle effaçait de l'autre les coquelicots ensanglantés qui se formaient autour d'elle dans la neige blanche. Julie s'était instinctivement penchée pour l'aider à se relever, mais elle s'était arrêtée nette en réalisant que Martha avait rasé ses beaux cheveux qu'elle portait habituellement en bas des épaules. Elle ressemblait maintenant à ces prisonniers que l'on condamnait autrefois au bagne pour des vies entières. Plus tard, Martha lui avait confié qu'elle avait coupé sa longue tignasse noire n'en pouvant plus de se faire traîner par les cheveux sur le plancher de la cuisine lorsque Joanassie s'en prenait à elle. Julie se rappelait encore l'émotion vive qui l'avait traversée en apprenant ces détails sordides.

— Sur le coup, je l'ai détestée, parce que pour moi, couper ses cheveux, c'était de la lâcheté. Après, j'ai compris qu'elle ne pouvait pas faire autrement.

Philippe n'était pas d'accord avec elle.

— Elle avait juste à partir d'ici.

— Pour aller où?

— À Quaqtaq[20], chez sa sœur.

— Dans ce cas, elle aurait tout perdu.

— Peut-être, mais préfères-tu qu'elle se fasse battre *ad vitam aeternam*? Tu sais comme moi que McIntosh ne peut rien faire pour la protéger parce qu'il ne pourra jamais faire respecter un interdit de contact dans un village qui fait moins d'un kilomètre carré!

Julie a bondi sur l'occasion pour réfuter ses dires.

— Tu dis ça mais Joanassie est en prison maintenant.

— Mais pour ça, y'a pratiquement dû tuer Martha!

---

20 Le village de Quaqtaq est situé sur la rive est de la baie Diana, appelée Tuvaaluk (la grande banquise). «Quaqtaq» signifie «ver solitaire» en inuktitut.

Contrairement à son habitude, Philippe parlait sans chercher à provoquer. Sa pensée était réaliste et sans aucun artifice. Julie résistait pourtant à l'évidence en le contredisant obstinément. C'était comme si elle voulait le forcer à dire que la condition de Martha et des autres femmes du village s'améliorerait un jour. En vérité, je crois qu'elle cherchait à se convaincre elle-même de quelque chose, peut-être de ce que cette forme de violence qu'elle subissait également à force d'être rejetée au bord du monde comme une mauvaise récolte prendrait fin un jour et que Philippe l'accepterait finalement dans ses bras trop maigres.

Vers vingt-deux heures, Philippe est allé me reconduire chez moi en me promettant de m'emmener faire un tour dans la toundra dès que mon horaire me le permettrait. Avant de le quitter, j'ai essayé de lui parler de Julie mais il a esquivé le sujet. Je n'ai pas insisté, trop fatigué pour lui tirer les vers du nez. Une fois à l'intérieur de mon transit, j'ai ouvert le téléviseur pour me changer les idées. À force de zapper, je suis tombé sur une émission de chasse et de pêche qui proposait à ses spectateurs de suivre les tribulations d'un pêcheur parti explorer les rivières sinueuses de l'Alaska.

Armé de son seul moulinet, il ferrait des truites d'une taille impossible, mais surtout des ombles de l'Arctique colossaux. Un doigt sur son fil à pêche, il patientait comme un bouddha sur son socle et, au premier mordillement, il donnait un coup vif pour enfoncer l'hameçon dans la gueule de l'infortuné poisson qui avait eu le malheur de se laisser prendre au jeu. Une longue bataille sous-marine où tous les coups étaient permis s'ensuivait. Décidé à livrer un dernier baroud, l'omble effectuait un saut prodigieux hors des eaux avant de se laisser retomber lourdement sur le dos dans l'espoir de briser ce fil funèbre au bout duquel un tragique destin l'attendait. Sa vigueur n'y changeait rien et l'épuisette venait recueillir la bête fatiguée comme le satin d'un beau cercueil.

Je me suis couché vers minuit même si je n'avais pas sommeil. Thibault m'avait demandé de me présenter un peu plus tôt que les autres ouvriers sur le chantier. Ça ne me dérangeait pas du tout.. Après tout, je n'avais rien de mieux à faire et j'étais grassement payé pour mes heures supplémentaires. Et puis, si je lui rendais de petits services, il serait sûrement plus enclin à me libérer si Philippe nous trouvait un nouveau guide pour cette expédition de pêche qu'il me promettait toujours sur son honneur. J'avais d'ailleurs toute confiance en sa parole et je savais qu'il trouverait une solution à cet imprévu malheureux.

Malgré le raffut incessant des véhicules motorisés, je n'ai pas tardé à sombrer dans un demi-sommeil où la réalité s'entremêlait de manière confuse avec les constructions désordonnées de mon imaginaire que ma fatigue débridait plus qu'à l'accoutumée. Les pensées les plus diverses prenaient soudainement l'avantage sur cette volonté qui empêche normalement les débordements de l'inconscient. Je me voyais soudainement marcher le long d'une rivière dont les eaux écumantes s'étiraient comme une longue cicatrice bleutée. Maladroit, je tenais fermement ma jolie canne à pêche en fibre de carbone que je m'étais procurée dans un magasin spécialisé de Montréal avant mon départ. Devant moi, à bonne distance, un petit homme aux cheveux noirs me faisait signe de me dépêcher. Constamment ralenti par les trous d'eau, la rocaille et les arbustes rabougris, j'essayais de reprendre le terrain perdu, mais l'homme avançait avec une facilité déconcertante. Chaque fois que je levais les yeux vers l'horizon, je le voyais disparaître un peu plus. Autour de moi, les moraines se dressaient comme les créneaux d'une forteresse préhistorique et je ressentais en mon for intérieur l'angoisse de l'infiniment petit confronté à l'immensité de la toundra.

Effrayé à l'idée de me retrouver seul au milieu de ces étendues sans relief, j'ai pris mes jambes à mon cou. Mais au bout de quelques mètres, mes pieds se sont pris dans une racine que dissimulaient des touffes d'herbes hautes. Déséquilibré, j'ai porté mes mains à mon visage pour me protéger dans ma chute. Le sol spongieux m'a reçu mollement, comme l'aurait fait un vieux matelas. Lorsque j'ai relevé la tête, le petit homme se tenait debout devant moi et me tendait gentiment la main. Remis sur pied, j'ai remercié mon bienfaiteur:

— Joanassie, heureusement que tu étais là!

Il n'a rien répondu, qu'un petit sourire énigmatique qui pouvait bien dire tout et n'importe quoi.

CHAPITRE SEPT

À mon réveil le lendemain matin, j'étais bien loin de me sentir frais et dispo. Au contraire, j'éprouvais un malaise indicible, comme si une porte gardée verrouillée à double tour s'était soudainement ouverte en laissant s'échapper une vérité toute crue que je ne voulais ni voir ni entendre, peut-être celle de mon désir de faire ce voyage de pêche, peu importe le guide qu'on me trouverait. Pour ne rien arranger, lorsque je suis arrivé près du chantier, j'ai trouvé Martha qui fumait debout devant son quatre-roues. Immobile, elle fixait la baie dont les eaux glacées se confondaient à travers les émanations brumeuses du matin. J'aurais voulu passer mon chemin sans la regarder. Mais comme une boussole incapable d'indiquer autre chose que le nord, je n'arrivais pas à me détourner de ses blessures, un peu comme si cette répulsion instinctive que l'on ressent parfois devant la souffrance d'autrui attisait parallèlement une inexplicable curiosité.

Indécis, je me suis arrêté à sa hauteur et j'ai allumé une cigarette pour me donner du cœur au ventre avant d'entreprendre cette nouvelle journée de travail. Indifférente à ma présence, Martha a continué à fixer silencieusement l'horizon. C'était comme si elle observait un monde caché, situé loin à l'intérieur des terres et qui ne s'ouvrait qu'aux seuls initiés. Finalement, Martha a lancé en l'air, comme pour elle-même:

— Ce matin, des chasseurs ont abattu trois loups à Salluit. Ils étaient malades ou ils avaient faim.

Je l'ai regardée sans être certain de comprendre où elle voulait en venir exactement. En effet, c'était une bien curieuse manière d'amorcer une conversation à sept heures du matin alors qu'il gelait à pierre fendre et que mes dents claquaient comme de la fièvre. J'ai donc répété un peu stupidement ce qu'elle venait de dire.

— Trois?

Elle a pris une nouvelle bouffée.

— Oui, trois.

La conversation allait rapidement s'éteindre si je ne faisais pas preuve d'un peu plus d'imagination.

— Martha, comment dit-on «loup» en inuktitut?

— *Amaruq.*

— Et comment dit-on «j'ai vu un loup»?

Martha a levé les yeux vers moi. Malgré son sourire, son regard avait quelque chose d'aussi souffrant qu'un jour qui s'achève. Je voyais bien qu'elle hésitait à me répondre, comme si cette question se heurtait à une inexplicable réticence. Elle a pris une autre bouffée, puis elle m'a dit:

— L'inuktitut est une langue très compliquée et je suis un mauvais professeur. Pourquoi tu ne demandes pas à Philippe? Il vit ici depuis si longtemps et je sais qu'il est ton ami.

Sur quoi elle s'est dirigée vers l'entrée principale du chantier. Avant de disparaître pour de bon, elle s'est retournée vers moi:

— Si tu vas dans la toundra, fais bien attention aux loups: ils sont dangereux!

J'ai regardé Martha sans trop comprendre l'importance de cette mise en garde. Je savais que la toundra cachait quelques loups, parfois même des meutes entières, mais je n'avais jamais entendu parler d'une attaque ciblée contre un humain. Pour moi, tout ceci n'était que folklore et légendes. Quelques semaines allaient pourtant suffire à me faire comprendre qu'elle disait la vérité. Non seulement au sujet des loups, mais également en regard des autres formes de violences prédatrices, à commencer par nos propres désirs qui nous masquent parfois le cœur et l'esprit.

Désireux de faire le plein d'oxygène avant de me retrouver prisonnier sur le chantier pour la journée, je suis resté encore un moment à respirer l'air tonifiant du large. Ce n'était pas une mauvaise idée car Thibault n'a pas tardé à venir me confier une mission relativement périlleuse. Il voulait que je grimpe dans la toiture pour solidifier les pontages et les poutrelles d'acier avec mon petit chalumeau de rien du tout. Après avoir ressemblé mon matériel, je suis monté au dernier étage et j'ai utilisé un petit échafaud sur roulettes pour aller me faire ma propre idée de la qualité du travail qui avait été effectué avant mon arrivée. L'assemblage comportait effectivement son lot d'imperfections, mais je doutais que mes seules soudures puissent y changer quelque chose. Au mieux, elles calmeraient l'esprit de Thibault. C'était du colmatage thérapeutique ou de la poudre aux yeux, appelez ça comme vous le voulez. Comme je m'apprêtais à commencer mon travail, Thibault est venu se poster juste en dessous de moi.

— Jacques, surtout tu fais bien attention, je ne veux pas te voir jouer les casse-cous!

Il me parlait avec des kilos d'inquiétude sur la langue, ce qui lui donnait un style zozotant tout à fait comique. Heureusement, il n'est pas resté longtemps à m'observer et j'ai pu me concentrer sur mon travail sans avoir l'impression d'être épié. Ce calme m'était nécessaire pour ne pas m'emporter contre les entrecroisements fréquents de la structure d'acier, qui me donnaient l'impression d'avancer à travers un branchage revêche et dense. Je devais constamment quitter mon perchoir pour repositionner l'échafaud qui grinçait comme du métal ancien. Avec son oreille bien tendue, Thibault profitait toujours de ces moments pour venir faire son petit tour et évaluer la qualité de mon travail. Il ne trouvait généralement rien à redire, mais il me demandait parfois de retoucher une soudure une seconde fois même si mon travail était irréprochable. J'obtempérais à contrecœur en me demandant si ce n'était pas cette folie du détail qui l'empêchait de terminer l'école dans les temps et non pas cette supposée erreur de livraison de matériaux.

Vers la fin de l'après-midi, j'ai retrouvé avec plaisir la solidité réconfortante du béton armé. Apparemment indemne, je ressentais néanmoins des courbatures folles qui me brûlaient la base du cou et le bas du dos comme de la braise répandue. Mon mal ne refrénait pourtant pas l'enthousiasme débordant de Thibault. Tandis que je rangeais mes outils et nettoyais minutieusement mes buses, il est venu me trouver.

— Jacques, c'est du travail de pro!

Sur quoi, il m'a laissé quitter le chantier sans en rajouter. Dehors, le soleil avait laissé place à une masse nuageuse qui pesait lourdement sur les toitures du village. Un vent venu du large poussait violemment des débris enneigés entrecoupés d'embruns vers l'intérieur des terres. Un peu partout, des chiens au pelage fourni traînaient à l'aventure des rues désertées. L'un d'entre eux s'est approché de moi pour me sentir la main, mais j'étais trop fatigué pour jouer avec lui, ce qui ne l'a pas empêché de me suivre jusqu'au magasin général dont les portes étaient cadenassées avec de la grosse chaîne à vous faire du mal.

— *It's closed!*

Un jeune Inuit à cheval sur son quatre-roues venait de s'arrêter derrière moi. Il portait une casquette à l'effigie des Bruins de Boston et un coton-ouaté rouge maculé de taches d'huile. Je lui ai baragouiné quelques mots d'anglais dans l'espoir d'apprendre le pourquoi de cette fermeture imprévue. Il a haussé les épaules.

— *I don't know, they're may be sick?*

Je regrettais soudainement de n'avoir jamais pris le temps de faire une épicerie complète depuis mon arrivée au village; je ne pouvais pas me résoudre à souper d'un bout de pain tartiné de mauvaise confiture et d'un verre de lait partiellement écrémé dont la date de péremption semblait incertaine. Évidemment, rien ne m'empêchait d'aller cogner à la porte du Staff House, mais je ne voulais pas non plus passer pour un pique-assiette. Après quelques hésitations, j'ai finalement mis mon orgueil de côté et je me suis présenté devant la maison des pilotes, comme un miséreux sur le parvis d'une église. J'ai donné quelques coups sur la porte et Christian est venu m'ouvrir.

— Philippe n'est pas là?

— Non, il effectue une évacuation médicale avec David près d'Ivujivik[21].

— Tu les attends bientôt?

— Difficile à dire: ici, on connaît seulement l'heure du départ, jamais celle de l'arrivée.

Christian m'a ensuite fait entrer. Une fois au salon, il m'a proposé de me réchauffer quelque chose à manger si j'avais faim. J'ai voulu le remercier mais il m'a gentiment fait signe de me taire.

— C'est rien, j'aime pas manger tout seul. Au fond, c'est toi qui me rends service en soupant avec moi.

Pour avoir un cœur aussi tendre, je me disais que Christian avait dû en baver quelque part, car l'expérience m'avait appris que les extrêmes cachent souvent un milieu qui ne veut pas se dévoiler. Les hommes prennent ainsi de la circonférence pour éviter de se faire rejoindre à l'endroit précis du commencement, là où tout prend son origine, surtout la souffrance. Vers la fin du repas, il m'a servi une tasse de thé vert en me demandant:

— Tu connais Philippe depuis longtemps?

---

21 Village le plus septentrional du Québec et dont le nom signifie «là où les glaces s'accumulent en raison des forts courants».

— Depuis toujours. Toi?

— Ça doit faire deux ans maintenant. Quand je suis arrivé ici, il m'a aidé à passer par-dessus le choc des cultures, un truc qui n'épargne personne.

— Même Philippe?

— Peut-être plus que les autres.

— Et toi?

— Je me suis habitué.

Christian a fermé un moment les yeux, pas longtemps, juste ce qu'il faut pour comprendre ce que la parole ne peut pas exprimer, parce que la douleur, la vraie, elle parle le langage des viscères, pas autre chose. Finalement, il a repris là où ses yeux s'étaient arrêtés.

— Philippe m'a dit que t'as travaillé un peu partout au Québec? Ça te donne une longueur d'avance mais fais quand même attention. Au début, on tombe tous en amour avec la toundra. Mais après, il y a la chute, la vraie, et ce n'est pas tout le monde qui peut survivre à la réalité.

Ce n'était pas la première fois que l'on me mettait en garde contre les mirages de ce territoire. Philippe me parlait souvent de la vie au-delà de la ligne des arbres en affirmant qu'ici, on ne pouvait guère choisir: c'était l'amour ou la haine, pas autre chose. Amour des Inuits, de leur générosité et de leur ingéniosité, mais haine également de leur violence et de leur capacité à se suicider à la chaîne. Dans ces circonstances, les expatriés étaient peu nombreux à survivre à pareille alternance de sentiments. Ils s'installaient généralement pour deux ou trois ans avant de retourner vers le sud, en ne revenant plus au nord que pour de courts séjours. Autrement, ceux qui demeuraient plus longtemps se divisaient en trois grandes catégories: les *Misfit*, les *Money Maker* et les *Missionary*. Du moins, c'est ce que Philippe me racontait toujours.

Personnellement, je n'avais pas envie de parler misère encore une fois, bien au contraire. Sans trop savoir, j'ai demandé à Christian s'il pratiquait parfois la pêche. Il m'a confié en souriant qu'il détroussait chaque année les rivières avoisinantes de quelques truites et qu'il lui arrivait même d'attraper des morues de roche qui forniquaient sur le bord de la grève comme dans un grand bordel à ciel ouvert. Vers vingt-trois heures, j'ai quitté le Staff House le sourire aux lèvres. Parler poisson m'avait enflammé l'esprit et j'avais hâte de jeter un coup d'œil à mon matériel de pêche pour m'assurer que tout y était.

Revenu à mon transit, je me suis assis au salon avec mon coffre à pêche sur les genoux. La veille de mon départ, je m'étais procuré différents leurres, à commencer par des cuillers tournantes. Selon la vitesse de récupération, elles permettaient une exploration des différentes couches d'eau. J'avais aussi des cuillers sans étrier. Plus lourdes, elles se lançaient facilement. Je m'étais également acheté des leurres composés pour la pêche aux gros. J'avais aussi pris soin de choisir des leurres de couleurs différentes : de l'argent pour les eaux translucides, du laiton pour les eaux ternes et des couleurs vives pour les eaux embrouillées. Avec tout cet attirail en main, je ne doutais pas de mes chances d'attraper des prises intéressantes.

Je me suis finalement couché en plaignant mon oreiller d'avoir si lourd à porter, car ma tête était pleine de rêves à m'en rendre fou. Pour moi, la pêche, c'était comme de l'eau bénite pour un curé. Une sorte de religion qui exigeait sa liturgie quotidienne. Philippe allait nous trouver un nouveau guide. Je devais seulement être patient, même si la patience, trop souvent, c'est ce qui tue les hommes, à petit feu, un peu comme l'espoir que l'on entretient souvent sans raison.

CHAPITRE HUIT

Pour mieux dormir, cette fois, je m'étais envoyé deux ou trois verres de Bowmore, un whisky *made in Scotland* aussi *single* que mon propre cœur. Il embaumait la tourbe et l'eau de mer comme du vrai large. J'avais sûrement exagéré un peu, parce qu'au matin, ma tête cognait dur les matines. Il m'a fallu trois bons cafés pour me ressaisir les esprits. Dehors, le ciel s'étirait lentement en déchirant la nuit de sa lame bleutée. Je le regardais, par la fenêtre, surplomber les derniers moutons de brume qui voguaient vers le large pour disparaître définitivement. Une fois à l'extérieur, j'ai réalisé que le mercure s'était effondré. Il ne devait pas faire plus de quatre ou cinq degrés. Pour ne rien arranger, le vent soufflait du nord. À chaque rafale, j'avais l'impression qu'on me transperçait jusqu'à l'âme, une chose que je gardais pourtant bien cachée. J'ai remonté rapidement la rue principale pour trouver Martha debout devant l'entrée du chantier.

— *Ullakut!*

Je l'ai regardée sans comprendre. Elle a repris en français:

— Ça veut dire «bon matin».

Cette fois, je n'ai pas cherché à forcer ma leçon d'inuktitut. J'ai laissé Martha continuer sans l'interrompre.

— Hier, ma sœur m'a téléphoné de Quaqtaq. Elle m'a dit qu'elle avait vu un rouge-gorge. Le mois dernier, à Kangiqsualujjuaq[22], un chasseur a abattu deux ours noirs. Normalement, ils ne montent pas si haut. La nature devient folle ou alors c'est nous. *Aassuk[23]!*

---

22 Situé à environ 160 km au nord-est de Kuujjuaq, Kangiqsualujjuaq est le village le plus à l'est du Nunavik. Son nom signifie «la très grande baie» en inuktitut.

23 Je ne sais pas!

Ça me mordait les lèvres de lui demander ce qu'elle entendait par là, mais je ne voulais pas non plus ouvrir une porte que je serais ensuite incapable de refermer. La folie, surtout celle des hommes, on sait toujours où elle commence mais rarement où elle se termine. Martha m'a regardé avec curiosité.

— Tu aimes le village?

— Je suis arrivé il y a trois jours, je n'ai pas encore eu le temps de le visiter.

— Tu viens de Montréal?

— Non, des Laurentides.

Martha a froncé les sourcils avant de reprendre:

— Je suis déjà allée à Montréal, deux fois, il y a longtemps.

— Tu as aimé?

Elle a fait «pff!» en levant les bras vers le ciel.

— Non, trop de maisons, trop de voitures, je manquais d'air ou alors je devais monter très haut pour respirer. La liberté, on ne la trouve qu'ici!

J'ai regardé Martha avec un petit sourire en coin. Autour de nous, il n'y avait rien, ou alors rien de visible pour un *Qallunaaq*. C'était peut-être ce qu'elle entendait par liberté: un monde qu'elle était la seule avec les siens à percevoir. Nous sommes donc restés un moment à regarder silencieusement l'horizon, même si le vent me mordait toujours le visage et que mes doigts ressemblaient maintenant à de petites craies. Entre-temps, d'autres travailleurs du chantier s'étaient joints à nous. Un type que tout le monde appelait Trois-Rivières du fait qu'il habitait cette ville m'a demandé une cigarette.

— Désolé, le magasin général était fermé hier et je n'ai pas pu m'en acheter, s'est-il excusé.

J'ai sorti mon paquet pour faire la tournée générale. Martha m'a remercié.

— *Nakurmik*[24] !

— *Ilaali*[25] !

Depuis mon arrivée au Nunavik, j'avais déjà appris deux ou trois expressions utiles et j'étais bien content de pouvoir les utiliser à bon escient. De leur côté, les hommes s'étaient mis à parler de Thibault et de son obsession des petits détails qui ralentissait tous les travaux. Trois-Rivières était le plus virulent à son endroit:

— À force, y va finir par perdre de vue ce qui compte vraiment. C'est comme de retoucher les soudures sur les poutrelles et les pontages d'acier dans la toiture: on s'en sacre!

Je voyais bien qu'il me passait le commentaire comme une rondelle à mettre au filet mais, si j'étais bien d'accord avec lui, je ne voulais pas m'exposer devant des inconnus qui pouvaient rapporter mes propos comme du mauvais vent. J'ai choisi la diplomatie.

— C'est probablement l'erreur de livraison qui l'a rendu un peu pointilleux.

Trois-Rivières n'a rien ajouté, mais je voyais bien que Thibault lui pesait sur la conscience comme de la fonte. Je n'ai pas cherché à comprendre d'où lui venait son aversion et je suis rentré travailler. Même si j'avais bien avancé la veille, je devais encore effectuer quelques soudures dans la structure qui supportait la toiture. Je m'apprêtais à grimper en haut de mon échafaud avec mon chalumeau lorsque Thibault m'a mis la main au collet.

— Enfin t'es là!

Il avait la mine grise des mauvais matins et le regard vitreux des bêtes affolées. Entre deux quintes de toux, il m'a poussé vers la cage d'escalier.

— Jacques, j'avais complètement oublié de te demander ça

24 Merci!
25 De rien!

hier, mais faut vraiment que t'ailles découper de la tôle au deuxième. Tout le monde t'attend!

Je suis allé préparer mon matériel en maugréant, car je n'aimais guère devoir changer mon plan de travail à la dernière minute. Pour le découpage, mieux valait utiliser un procédé de soudure nécessitant de l'oxygène et de l'acétylène. Après avoir vérifié les bombonnes, je suis monté voir de quoi il en retournait au deuxième. Les gars faisaient effectivement le pied de grue devant les feuilles de tôle. En me voyant arriver, un gros gaillard au crâne grugé par la calvitie s'est mis en travers de mon chemin.

— Pas trop tôt!

Je n'étais pas d'humeur à me faire bousculer.

— Si tu veux te plaindre, va voir Thibault: c'est lui qui m'a demandé de faire des retouches sur les poutrelles et les pontages.

Il n'a pas apprécié mon commentaire.

— Ciboire, ça parle avec la bouche en cul-de-poule en plus! Va-tu falloir qu'on t'appelle Einstein?

Ce n'était pas la première fois qu'on me faisait le coup du petit Einstein, c'était même monnaie courante sur les chantiers. Les hommes ne pouvaient pas s'empêcher de m'agacer parce que j'articulais bien et que je connaissais quelques jolis mots. Je tenais ça de mon père et de son obsession de la langue française qui datait de son cours classique. J'ai pensé lui rétorquer encore quelque chose, mais j'ai cru plus sage de me mettre au travail pour couper court à la conversation. Je me suis donc réfugié derrière ma flamme de chauffe jusqu'à l'heure du dîner. Je pensais m'installer un peu à l'écart pour manger mon sandwich en toute tranquillité mais un homme que je ne connaissais pas est venu me trouver pour me dire de ne pas rester là tout seul.

— Écoute, on sait que Thibault t'a fait perdre ton temps

hier. Faut pas le prendre personnel, c'est juste qu'on a tous hâte de partir d'ici!

Comme l'homme semblait sincère, j'ai accepté son invitation et je suis allé m'installer avec le reste des travailleurs. Trois-Rivières, qui se trouvait parmi eux, parlait encore de Thibault et je comprenais qu'il venait de s'acheter une réputation qu'aucun javellisant ne pourrait plus blanchir avant longtemps. J'écoutais sans mot dire, mais mon silence a dû paraître suspect aux yeux de certains:

— Pis toi Einstein, qu'est-ce que t'en penses?

Personnellement, je pensais qu'il valait mieux ne rien dire. Par contre, je savais que j'allais devoir un jour ou l'autre montrer patte blanche si je voulais me faire accepter dans cette nouvelle famille. J'allais donc me compromettre lorsque Trois-Rivières a lancé, comme une mauvaise blague:

— Au fond, pas la peine de chercher de midi à quatorze heures, la seule chose que Thibault a besoin, c'est de se mettre un bon coup!

Quelqu'un lui a répondu du tac au tac:

— Es-tu malade? S'il couche avec une fille du village, y va pisser du feu dans l'heure qui va suivre!

Tout le monde s'est mis à rire à gorge déployée sans se demander si Martha se trouvait dans les parages. Cette possibilité ne semblait pas les inquiéter: les blagues les plus salaces fusaient maintenant de toutes parts comme des perséides en plein mois d'août. À la fois gêné et dégoûté, j'ai pris congé de mes nouveaux compagnons pour aller fumer une cigarette à l'extérieur. J'ai alors aperçu Martha qui discutait avec un Inuit âgé d'environ vingt ans. Petit mais solide, avec de bonnes épaules et un sourire farceur, il portait un manteau vert arborant l'insigne des Rangers canadiens, soit une hache croisant un fusil Lee-Enfield surplombée par trois petites feuilles d'érable.

En me voyant arriver, Martha s'est empressée de me présenter le jeune homme.

— C'est mon fils, Tamussi!

Je ne lui avais pas encore serré la main que Martha ajoutait déjà:

— C'est un grand chasseur, comme son grand-père. L'année dernière, il a remporté une course de traîneau à chiens. Cet hiver, il veut relier Puvirnituq[26], à Kuujjuaq, en solitaire.

Comme tous les enfants du monde, Tamussi se faisait tout petit devant sa mère, qui s'animait de plus en plus en parlant de lui. Je trouvais la scène très belle et très touchante. De mémoire, ma propre mère ne s'était jamais emportée de la sorte en parlant de moi, ou alors seulement quand j'étais enfant et qu'elle croyait recevoir un amour sincère lorsque je la prenais dans mes bras. Elle ignorait à cette époque que les enfants n'aiment pas, du moins pas au début. Ils consomment, un point c'est tout.

Enfin, ce jour-là, Martha aurait sans doute pu continuer à me parler de son fils et de ses autres enfants si quelqu'un n'était pas venu me trouver pour me rappeler qu'on m'attendait au deuxième. Je les ai quittés à contrecœur avant de retourner à mon poste de travail. Vers dix-neuf heures, j'ai coupé les gaz et je suis sorti du chantier. Stationné devant l'entrée, Philippe m'attendait au volant d'une camionnette blanche.

— On va faire un tour dans la toundra?

Bien que fatigué et affamé, j'ai accepté sa proposition. Au fond, je ne demandais pas mieux que de m'évader du village pour quelques heures, comme autrefois, lorsque j'allumais la radio de ma voiture et que je partais à l'aventure sur les routes de la Baie-James pour oublier le beau visage de Sophie. Philippe a mis la clé dans le contact.

---

26   Village situé sur les rives de la baie d'Hudson et dont le nom signifie «là où il y a une odeur de viande putréfiée» en inuktitut.

— On va à la station de pompage.

— C'est loin?

— Non.

Nous avons roulé cinq ou six kilomètres sur une route tortueuse avant d'atteindre ladite station, un petit bâtiment qui semblait tout à fait ridicule au milieu de la toundra. Non loin devant elle, on devinait une rivière recouverte en partie par les glaces. De larges crevasses fissuraient néanmoins cette coquille d'une blancheur éclatante en laissant apparaître des remous à vous emporter pour de bon vers le large. Philippe m'a fait descendre de la camionnette puis il a pointé une colline qui s'élevait sur quelques dizaines de mètres.

— Allez, on monte!

Quelque chose n'allait pas. Philippe était distant, presque secret, chose qui n'était pas dans ses habitudes. Je lui ai demandé au hasard:

— Alors, l'évacuation à Akulivik[27]?

Philippe a soupiré un «hum» qui pouvait vouloir dire tout et n'importe quoi. Je n'ai pas insisté et nous avons continué à marcher en silence. Un peu partout, des ossements de caribous polis par les intempéries perçaient le sol enneigé et des *inuksuit*[28] aussi anciens que mystérieux, se suivaient à intervalles réguliers. Arrivés en haut de la colline, nous nous sommes assis sur une pierre. Philippe a fixé l'horizon à la manière de Martha.

— J'ai finalement quitté Julie.

Je lui ai répondu sans réfléchir:

— Je pensais que tu sortais pas avec elle?

---

27 Village inuit dont le nom fait référence à la configuration géographique de son emplacement: une péninsule qui avance dans la baie d'Hudson entre deux étendues d'eau et qui rappelle la forme d'un *kakivak*, soit un harpon inuit traditionnel en forme de trident.

28 Forme pluriel de *inukshuk*, soit un empilement de pierres pouvant prendre différentes formes et servant à guider les voyageurs, à annoncer un danger imminent, à indiquer un lieu sacré ou à faciliter la chasse aux caribous.

Encore aujourd'hui, je me demande pourquoi je lui ai balancé un truc aussi bête alors qu'il cherchait à s'ouvrir comme une fleur fragile touchée par la rosée du matin. Philippe ne s'est pas offusqué.

— Pour moi, c'était juste du cul, mais Julie voyait autre chose.

— Tu lui as dit que c'était terminé?

— Oui, mais elle veut rien comprendre. Elle est encore venue me voir hier pour me demander de revenir sur ma décision. Pathétique!

Pour moi, c'était comme une évidence.

— C'est parce qu'elle t'aime.

Philippe a immédiatement répliqué:

— Ou qu'elle ne s'aime pas assez pour se respecter!

Je reconnaissais Philippe, cette manière de tout retourner pour ne pas voir cette vérité qui lui pendait au bout du nez. S'il ne tolérait pas la persévérance de Julie ni son regard posé sur lui, c'est parce qu'il n'avait jamais été assez fort pour supporter un autre cœur que le sien. Après tant d'années passées près de lui, j'avais compris que sous ses grands airs arrogants se cachait une insécurité profonde qui datait du divorce de ses parents, une rupture dont il s'était enfant attribué la responsabilité. Il n'y avait là rien de très original, au contraire, mais c'est justement le manque d'originalité qui rend le malheur si terrible. Enfin, je voyais Philippe aujourd'hui comme je l'avais toujours vu: incapable du moindre attachement amoureux. Paradoxalement, je savais que d'ici deux semaines, il se serait déjà vautré entre les cuisses d'une autre femme, car il ne pouvait pas supporter la solitude de son lit ni l'absence prolongée d'un regard admirateur posé sur lui. Voilà sans doute pourquoi je n'avais pas envie de le consoler et que je faisais durement tomber mes mots sur lui.

— Peu importe ce qui pousse Julie à te courir après, t'auras pas le choix d'assumer son regard posé sur toi, surtout si tu fais d'autres évacuations médicales avec elle.

Piqué au vif, Philippe m'a lancé, comme une gifle:

— Parce que t'as déjà assumé quelque chose en amour, toi?

L'attaque était à la limite du réglementaire, tout juste en bas du double échec qui vous assomme un gars pour de bon dans la bande. Je saisissais parfaitement la mise en garde: je ne devais pas m'aventurer plus loin sur ce chemin hasardeux. Autrement, il n'y aurait pas de trêve et chacun y laisserait des copeaux d'amitié. Et puis, je devais bien l'admettre, j'ignorais la manière d'affronter. Mes combats, je les livrais de l'intérieur, contre mes propres chimères qui rugissaient ferme dans ma boîte crânienne et dans mon cœur. Je n'étais donc pas l'homme de la situation pour la critique ouverte, pas un homme du tout, même.

Nous sommes donc demeurés tous les deux le cul par terre, comme les gamins que nous n'étions plus depuis longtemps, à regarder l'horizon et les ossements répandus à l'aventure comme un engrais macabre à vous faire pousser du mauvais rêve. Emmitouflé dans mon manteau, j'essayais de comprendre ce que je faisais ici, pour ainsi dire nulle part, avec Philippe à mes côtés qui souffrait sincèrement du cœur. Au fond, il n'y avait peut-être que la toundra d'assez grande et silencieuse pour accueillir ce désarroi qui nous accompagnait fidèlement depuis notre jeunesse. Et puis, souvent, il y a trop de mots et pas assez du reste.

CHAPITRE NEUF

Deux semaines s'étaient écoulées depuis mon arrivée au Nunavik. Le soleil de juin brillait maintenant jusqu'à vingt-deux heures et les dernières neiges se réduisaient comme une peau de chagrin, tandis que sur la baie, les glaces disparaissaient lentement dans les eaux grises en émettant des chuintements inquiétants. Stimulés par l'allongement des journées, les enfants ne se couchaient pratiquement plus. Ils formaient des bandes criardes qui traquaient implacablement les derniers vestiges de l'hiver. Je les voyais souvent se réunir à l'arrière du chantier où d'anciens travaux de terrassement formaient des cuves profondes noyées par l'eau de ruissellement. Armés de pierres et de bâtons, ils s'amusaient à fracasser la fine pellicule glacée qui se formait chaque matin à leur surface. Ce petit rituel inquiétait énormément Martha, qui s'empressait de chasser ces petits chenapans de peur que l'un d'eux ne perde pied et ne tombe dans l'un de ces pièges mortels. Par ailleurs, les ecchymoses qui cerclaient autrefois ses yeux avaient complètement disparu, et je pouvais maintenant me concentrer sur son véritable visage lorsque je la retrouvais à l'aurore pour fumer une cigarette avant d'entreprendre une nouvelle journée de travail.

Sur le chantier, les travaux avançaient à un rythme satisfaisant. Mes compagnons m'appelaient maintenant par mon vrai nom et Thibault se faisait plus tranquille, car on annonçait l'arrivée prochaine d'un bateau dont les cales étaient chargées de matériaux. Encore une ou deux semaines d'attente et nous aurions tout le matériel nécessaire pour mener à bien les travaux sur l'école. Je m'étais également lié d'amitié avec Trois-Rivières qui, au final, était originaire d'un coin perdu de la Beauce, mais dont les amours de jeunesse s'étaient chargés de le déplacer vers la Mauricie. Chaque midi, je mangeais en sa compagnie. Il parlait beaucoup et moi, très peu. Nous étions faits pour nous entendre. Un jour que nous fumions une cigarette, il m'avait confié un peu candidement qu'il ne travaillait pas au Nunavik de gaieté de cœur. Étranglé par de nombreuses dettes, cet endroit lui était apparu comme une porte de salut inespérée. Je n'avais pas été surpris de l'apprendre. Depuis toujours, le Nord attirait son lot de chercheurs d'or.

Pour le reste, je soupais pratiquement tous les soirs au Staff House. Philippe, Christian et David volaient régulièrement, car le retour de la belle saison s'accompagnait d'une recrudescence des accidents de chasse et de pêche. Maurice ne quittait pratiquement plus le dispensaire et le Minotaure ne faisait plus que de brèves apparitions. Quant à l'expédition de pêche que j'attendais toujours avec impatience, Philippe peinait à nous trouver un nouveau guide. Étrangement, les Inuits semblaient réticents à l'idée d'emmener pêcher des *Qallunaat* à des endroits qui leur étaient traditionnellement réservés. Je lui avais suggéré le nom de Tamussi, le fils de Martha, mais cette option ne lui plaisait pas parce qu'il le disait un peu trop jeune. Je trouvais son argument difficile à justifier. Avec sa connaissance du terrain, Tamussi était assurément un bon candidat. Mais j'insistais peut-être trop. Après tout, les rivières commençaient seulement à couler librement et le poisson, engourdi par la longue période hivernale, sommeillait encore sous des couvertures de gravier et de limon.

Je serais sans doute demeuré prisonnier de cette routine si l'événement que redoutait tant Martha ne s'était pas produit un matin où le mercure avait soudainement chuté en dessous du point de congélation. Je posais de la laine minérale au premier étage quand les premiers cris se sont fait entendre. Un son à vous rompre les nerfs. Thibault, que tout inquiétait, nous a fait signe de rester là où nous étions. Peu importe ce qui se tramait à l'extérieur, il ne voulait pas nous y voir. Mais dehors, il ne restait que des conséquences à vous grafigner le cœur et l'esprit.

Ce matin, aux premières heures, un enfant s'était rendu à l'arrière du chantier pour s'amuser sur le bord des cuves. Il avait probablement voulu tester la solidité de la glace en marchant dessus, mais celle-ci avait cédé sous son poids. Trente ou quarante livres, parfois, c'est tout ce que ça prend pour vous faire atteindre le fond des choses et vous y maintenir pour de bon.

À la fois inquiet et curieux, je me suis placé dans l'angle mort d'une fenêtre pour voir de quoi il retournait. Une femme affolée hurlait à tout rompre tandis que deux Inuits s'échinaient à hisser le corps de l'enfant hors des eaux glacées. Malgré la distance, je voyais bien qu'il était raide comme une barre à clous et qu'il ne remuait plus. Ses petites mains semblaient s'être refermées sur quelque chose, peut-être son dernier soupir qu'il tenait encore fermement, comme s'il avait cru pouvoir le récupérer, un peu plus tard, après le grand cauchemar. Il lui manquait également une botte à son pied gauche. Je me demande encore pourquoi ce détail m'a frappé. Je cherchais à peut-être m'accrocher à quelque chose pour ne pas sombrer à mon tour au fond des choses.

La camionnette dont le dispensaire se servait comme d'une ambulance est arrivée rapidement. Les portières ont claqué. Le conducteur, Maurice et Julie se sont précipités sur le corps de l'enfant qui reposait sur le sol comme un objet mystérieux dont personne ne savait que faire. Après l'avoir installé sur une planche rigide et porté dans le coffre arrière du véhicule, Maurice et Julie ont commencé les manœuvres de réanimation alors que les portes du camion se refermaient sur eux et que le chauffeur fonçait plein gaz en direction du dispensaire. Quand Thibault est réapparu quelques minutes plus tard, nous nous tenions tous immobiles devant lui. Son cœur de contremaître n'a pas supporté de nous voir comme ça les mains dans les poches.

— Qu'est-ce que vous faites, calice? Y'a personne qui va venir faire le travail à votre place!

Thibault avait raison de nous enjoindre de reprendre le travail au plus vite. Se remuer, c'était la seule chose que l'on pouvait faire pour se purger de ce venin noir qui se répandait lentement dans nos corps tremblotants. Entre chaque coup de marteau, chacun y allait à présent de ses théories fumeuses pour se faire rassurant, car personne ne voulait se coucher ce soir avec l'image d'un enfant mort sur la conscience. J'étais sans doute le seul à ne pas me laisser aller à de telles supercheries. J'avais bien vu le corps de l'enfant et tout ce bleu funèbre qui lui barbouillait les joues comme du crépuscule. Il était mort aussi sûrement que deux et deux font quatre.

Thibault nous a fait travailler sans relâche jusqu'à vingt heures pour nous épuiser complètement afin de nous faire oublier les événements de la journée. Au lieu de retourner à mon transit pour me coucher, je suis allé au Staff House. Tout le monde y était: Philippe, Christian, David, Maurice, Julie et le Minotaure. Habitué à la viande refroidie des cadavres, le gros policier s'est chargé de poser directement à Maurice la question qui nous brûlait tous l'intérieur comme un feu de racines.

— *The boy?*

Même s'il fréquentait également la fatalité depuis quelques années, Maurice a pris quelques secondes avant de soupirer tristement:

— *He didn't make it.*

J'avais l'impression qu'ils parlaient d'un athlète dont la mauvaise performance lui interdisait le moindre podium. L'enfant n'avait pas réussi la longue traversée, celle devant le ramener vers la terre des hommes. Maurice et Julie avaient pourtant tout tenté pour le réanimer, mais l'esprit ne sait peut-être pas dans quelle direction s'engager lorsque tout n'est plus que sursis. Ils avaient dû déclarer forfait et recouvrir le visage de la jeune victime d'un drap blanc maculé d'impuissance. Avec appréhension, Christian a demandé si l'on connaissait le nom de l'enfant. Julie, dont les yeux rouges trahissaient encore une fois sa peine profonde, a pris la parole.

— C'est Paulusie, le fils du vieux Tulugaq.

La nouvelle a eu l'effet d'une bombe, car tous connaissaient et respectaient le vieil homme. Lui, je devais l'apprendre plus tard, il était né dans le ventre glacé d'un igloo le premier janvier 1940, une date fictive qu'on lui avait attribuée comme à tous les autres Inuits pour lesquels il était impossible de déterminer avec précision une date de naissance. Malgré son âge avancé, il avait adopté le fils d'une parente éloignée qui était morte d'une complication obstétricale en cours d'accouchement. Une telle pratique n'était pas inhabituelle dans la société inuite, bien au contraire. Selon les statistiques, un tiers des nouveau-nés étaient ainsi adoptés à la naissance même encore de nos jours. Le vieux Tulugaq s'était simplement conformé à la tradition.

Instinctivement, nous avons respecté une minute de silence à la mémoire du disparu. David s'est ensuite interrogé à haute voix.

— Mais qu'est-ce Paulusie faisait tout seul derrière le chantier à huit heures du matin?

Philippe l'a regardé bêtement:

— Qu'est-ce tu penses? Il s'amusait comme le font tous les enfants du village!

Ce n'était rien pour convaincre David:

— Tu peux bien dire ce que tu veux, c'est quand même pas normal de les voir traîner du matin jusqu'au soir sans surveillance. Tous les enfants ont besoin de se faire imposer des limites, pas juste pour les protéger, mais aussi pour leur faire comprendre que quelque part, quelqu'un veille sur eux!

Maurice est intervenu à son tour:

— T'as raison, les Inuits savent pas punir leurs enfants. Avant, la nature se chargeait d'éliminer ceux qui désobéissaient aux consignes. Sortir sans son manteau, ça voulait dire mourir de froid avant l'aube. Maintenant, les maisons sont chauffées et la nourriture se fait livrer par avion. Plus personne ne meurt d'inanition sur le bord de la banquise. Mais il faut être honnête: les enfants d'ici se suicident plus souvent qu'ils ne se noient. Alors je ne vais pas me lancer dans une chasse aux sorcières pour nous trouver un coupable à pendre!

Philippe a mis des gants blancs:

— Maurice, personne ne cherche un coupable. Tu dois par contre admettre que quelque chose ne va pas du tout ici. Tu dis toi-même que l'espérance de vie des Inuits est inférieure à celle des Blancs, de presque quinze ans. C'est quand même pas la faute du seul hasard?

Maurice a paru exaspéré:

— Les Inuits, j'essaie de les soigner avant qu'on en fasse des statistiques. Si tu veux parler chiffres, appelle au gouvernement!

La conversation prenait une tournure inattendue et délicate. Philippe, d'ordinaire si batailleur, hésitait à relancer Maurice, visiblement à fleur de peau. De mon côté, plus j'observais mes amis, mieux je croyais cerner la complexité du sentiment qui les habitait. S'ils semblaient tous profondément touchés par la tragédie, ils ne pouvaient pas non plus s'empêcher d'exprimer une certaine colère qui pointait à mots couverts en direction du vieux Tulugaq. C'était comme si ce dernier venait de les décevoir en n'ayant pas su protéger son fils Paulusie et qu'il reprenait maintenant sa place auprès des autres Inuits du village que l'on accusait si souvent de négligence.

Pour dissiper l'atmosphère qui ne cessait de s'alourdir, quelqu'un a sorti une bouteille de whisky afin que ce soit l'alcool qui nous brûle la gorge et non pas tous ces mots qui nous chauffaient déjà à blanc. Vers minuit, Philippe m'a proposé d'aller me reconduire chez moi. J'ai accepté malgré sa démarche ébrieuse qui traduisait son taux d'alcoolémie. Julie est montée dans la camionnette avec nous. D'une main distraite, elle caressait la nuque de Philippe. En temps normal, je me serais permis un commentaire, mais ce soir je comprenais qu'ils se soient raccommodés malgré leur supposée rupture. J'aurais également payé un montant faramineux pour partager cette triste nuit avec une femme dans mon lit.

Assis tous les trois dans la camionnette, nous avons continué à parler à la manière de trois enquêteurs revenant sur une affaire déjà close. Julie nous a relaté l'entrée remarquée du vieux Tulugaq dans la salle de réanimation un peu plus tôt cet après-midi. Il portait une casquette arborant le logo d'une marque de bière connue et des *kamiik*[29] en *qisik*[30]. À travers les tubulures, les ampoules vides, les seringues aux aiguilles tordues et les odeurs de souillures corporelles, Maurice s'était chargé d'expliquer au vieil Inuit qu'on ne pouvait plus rien tenter pour sauver l'enfant. Le vieux n'était pas d'accord. Son grand-père lui avait autrefois enseigné l'art de réanimer un noyé à la manière des Inuits. Il devait emmener le corps de son fils adoptif dans la toundra puis l'installer en position déclive sur un rocher de manière à ce que sa tête soit dirigée vers le sol et ses jambes vers

---

29   Bottes.
30   Peau de phoque.

le ciel. Maurice avait cherché à raisonner le père affligé:

— Et après?

— Il faut attendre.

— Combien de temps?

— Le temps qu'il faut.

— Et si un *tiriganniaq*[31] est attiré par la dépouille durant la nuit?

— Alors il faut veiller la dépouille et éloigner l'animal avec des pierres.

— Et si c'est un *amaruq*?

— Alors il faut épauler son fusil pour abattre l'animal.

— Et si c'est un *nanuq*[32]?

— Alors j'irai rejoindre mon fils au *quvianartuvik*[33] l'âme en paix.

Même si le chagrin lui abîmait visiblement l'esprit, le vieux Tulugaq parlait sérieusement. Maurice hésitait. On le voyait tourner en rond, revenir sur ses pas, marmonner et faire dans l'inaudible. Pendant ce temps, les villageois affluaient à l'intérieur du dispensaire. On sentait un parfum, celui de la foule, lorsqu'elle se masse et se condense dans l'espoir de voir tomber la hache sur la tête du condamné. Maurice portait soudainement l'odieux sur ses épaules. On le pressait de toute part, pour voir s'il allait s'opposer à la tradition en reprenant le rôle du Blanc paternaliste. Un certain non-dit s'immisçait également entre chaque silence, derrière chaque regard, c'était celui d'une rancœur entretenue depuis l'époque des sanatoriums, des pensionnats forcés et de l'abattage systématique des chiens de traîneaux pour forcer la sédentarisation de cette population nordique. La mort de l'enfant dans les bras d'un *Qallunaaq*

---

31 Renard blanc.

32 Ours polaire.

33 Mot inuktitut servant à désigner le paradis et se traduisant par «là où l'on ressent une grande joie».

éveillait peut-être ces vieilles amertumes? L'idée était intéressante mais cela n'avait sans doute aucune importance. Après tout, on creuse souvent au-delà des faits, même si la vérité luit généralement devant nous comme un soleil ne demandant qu'à nous brûler jusqu'à l'âme. On cherche alors dans l'ombre ce qui n'existe pas, pour moins souffrir ou ne pas voir, c'est selon.

Curieux, j'ai demandé à Julie:

— Qu'est-ce Maurice a fait?

Elle a émis un drôle de sourire:

— Qu'est-ce que tu voulais qu'il fasse? Il a dit oui.

Ils m'ont laissé devant mon transit en me souhaitant bonne nuit. Avant de rentrer, je me suis allumé une dernière cigarette. Pour la première fois depuis mon arrivée au Nunavik, le village était calme, un peu comme s'il portait le deuil de Paulusie. Je me demandais si le vieux Tulugaq veillait la dépouille de son fils, son fusil sur ses genoux, le corps aux aguets. Pensait-il vraiment que le destin puisse lui réserver une dernière surprise ou refusait-il simplement de voir le rideau tomber définitivement sur le dernier acte de cette tragédie? J'ai encore fumé une cigarette puis je suis rentré me coucher.

La tête posée sur l'oreiller, je n'arrivais pas à trouver le sommeil. Même si le visage bleu de Paulusie me revenait sans cesse en mémoire, ce n'était pas lui qui m'empêchait de dormir. Déjà, ses traits devenaient indistincts, comme une pierre blanche échappée au fond d'une eau trouble. C'était plutôt cette solitude que je ressentais ce soir avec une acuité nouvelle, comme si la tragédie à laquelle j'avais été convié, au lieu de me détourner de ma propre souffrance, me ramenait à moi, toujours à moi, comme s'il n'y avait jamais d'autre issue que de revenir à soi-même dans la vie.

Désemparé, j'ai fait ce que jamais je n'aurais cru faire. J'ai pris le téléphone et j'ai composé le numéro de Caroline, cette serveuse de *truck-stop* que je fréquentais occasionnellement lorsque je travaillais à la Baie-James. J'ai laissé sonner plusieurs coups. Quelqu'un a finalement décroché. C'était elle. Étrangement, elle n'a pas semblé surprise d'entendre ma voix malgré l'heure tardive.

— T'es dans le coin?

J'aurais voulu lui dire que jamais je n'avais été aussi proche mais je n'ai pas osé. J'ai préféré lui dire que j'étais loin, très loin, par delà le bien et le mal, au-delà de toutes les frontières, là où il n'y avait que ce petit moi ridicule qui ne demandait qu'à être aimé, peu importe le prix à payer.

— Alors, pourquoi tu m'appelles?

J'ai menti:

— Je voulais savoir comment t'allais.

Elle a réfléchi:

— C'est toujours la même chose: je passe mes nuits à côtoyer des hommes qui savent juste parler d'amour lorsqu'ils sont trop saouls pour avoir une érection. Toi?

J'ai repris ses mots:

— C'est toujours la même chose: je passe mes journées à construire des maisons que j'habiterai jamais.

Caroline a dû sourire ou peut-être verser une larme. C'est difficile à dire. On ne sait jamais vraiment ce que ressent son prochain. Tout ce que je voulais, c'était partager le silence qui m'habitait avec une oreille attentive. Caroline a dû comprendre. Elle a collé sa bouche contre le combiné. Il n'y avait plus que sa respiration. Un murmure régulier, comme les vagues d'un océan. J'aurais pu demeurer ainsi une vie entière mais Caroline m'a rappelé à l'ordre.

— Jacques, faut que je me couche maintenant.

J'ai encore menti:

— Je comprends.

Elle a raccroché, en me souhaitant bonne nuit. J'avais l'impression de tourner la dernière page d'un roman, et que mes yeux se posaient sur le dernier mot, celui couronnant toutes les histoires depuis l'aube des temps, trois petites lettres a priori insignifiantes portant cependant la plus terrible des significations: le mot «fin».

CHAPITRE DIX

Le lendemain matin, avant même de reprendre le travail, je suis allé voir Thibault pour lui proposer de recouvrir les cuves à l'extérieur du chantier avec de vieilles planches de bois. Au lieu de me féliciter pour mon initiative, il a jeté sur moi un regard plein d'effroi.

— Jacques, tu vas quand même pas te mettre à jouer les nounous? S'ils veulent une gardienne, qu'ils s'en trouvent une!

J'étais coupé en deux, comme une bûche en son centre. Thibault a rapidement réaliser l'abomination qu'il venait de me débiter sans y réfléchir. Il a essayé de se racheter mais il a seulement réussi à me dégoûter pour de bon, sans possibilité de retour, avec des mots qui sonnaient dans mes oreilles comme des insultes.

— Tu sais bien que les enfants, glace ou pas, planche ou non, ils finissent toujours par faire dans la tragédie un jour ou l'autre. C'est triste en crisse, mais qu'est-ce qu'on peut faire?

Le cœur de cet homme devait être fait de bois pourri ou alors c'est qu'il n'en possédait tout simplement pas. Je lui ai quand même demandé si je pouvais aller au service funéraire de l'enfant, qui devait avoir lieu le lendemain matin. Thibault a réfléchi assez longtemps pour me faire comprendre qu'il hésitait encore à faire preuve d'humanité. Il finalement cédé à contrecœur:

— Tu peux y aller si tu veux, mais va surtout pas mettre cette idée-là dans la tête des autres!

Je suis parti sans le remercier. Vers la fin de la journée, Trois-Rivières est venu me trouver. Je lui ai raconté ma conversation avec Thibault. Il a donné un violent coup de pied dans une boîte en carton qui se trouvait devant lui:

— C'est vraiment un tabarnak!

Ses yeux avaient le brillant des bêtes enragées, une lueur qui n'augurait rien de bon. Il a fait deux ou trois tours sur lui-même avant de me pousser dans un coin.

— Viens, on va les installer, tes planches!

Trois-Rivières a réuni quelques gars, des gros et des costauds qui ne demandaient pas mieux que d'étriver notre contremaître, et nous sommes allés recouvrir les cuves avec des palettes de transport de marchandises, en bois. Dix minutes et l'affaire était réglée. Le lendemain matin, lorsque je suis réapparu sur le chantier après une bonne nuit de sommeil, Thibault m'a jeté un regard noir à faire tomber la nuit en plein jour. Je m'attendais à ce qu'il me renvoie dans la toiture pour m'apprendre le sens de la hiérarchie, mais il s'en est bien gardé. Sa seule préoccupation demeurait le chantier et il ne pouvait pas se permettre de prendre encore du retard pour de vaines querelles. Par contre, il avait bien l'intention de sermonner Martha si elle finissait par réapparaître, car elle ne s'était pas présentée au travail depuis la mort de Paulusie.

Une heure avant le début des obsèques, j'ai quitté le chantier pour aller marcher du côté de la baie. Je voulais me vidanger l'esprit avec l'air du large. Le fils du vieux Tulugaq avait probablement fait pareil au moment de remonter une dernière fois à la surface avant de replonger pour de bon vers le fond des choses. Il m'arrive encore parfois d'imaginer ses derniers moments, lorsque la glace s'affaissait sous ses pieds et qu'il plongeait vers une destination inconnue. S'était-il débattu, avait-il crié, combien de temps avait-il tenu dans cette eau glacée avant que son corps engourdi ne l'abandonne et que le soleil le caresse d'un dernier rayon d'or? Les questions fusaient mais je les chassais rapidement. Dès la naissance, chacun se débat et tout le monde crie. Bien malin pourtant qui peut affirmer avoir un jour été entendu. Moi aussi, lorsque j'étais petit, j'ai poussé des hurlements à vous fendre le cœur, mais mes larmes sont demeu- rées lettre morte. Papa a continué à boire et maman à pratiquer ses sonates au clair de lune.

J'ai abouti devant le petit plain-pied qui avait attiré mon attention quelques semaines plus tôt. Fouetté par le vent du large, le drapeau mohawk émettait toujours des claquements stridents. Masqué en partie par celui-ci, j'ai aperçu Tamussi qui tenait dans ses mains des morceaux de viande sanguinolente et bouillonnante de moucherons précocement éveillés. Tout autour de lui, des chiens enchaînés glapissaient d'impatience. Je me suis approché pour le saluer.

— *Qanuippit*[34]?

— *Qanuinngilanga*[35].

Depuis deux semaines, j'avais appris de nouvelles expres- sions, surtout des formules de politesse. Après, je ne pouvais plus avancer. Tamussi n'a pas tardé à le réaliser. Il a continué en français.

— Ce sont mes chiens. Cet hiver, je vais traverser la toun- dra, jusqu'à Kuujjuaq.

— Combien de kilomètres?

Il m'a regardé sans comprendre. Je n'ai pas insisté. Lui non plus. Il m'a demandé:

— Tu ne travailles pas sur le chantier?

— Je vais à l'enterrement. Toi?

Il a arqué ses sourcils en faisant un signe positif de la tête. J'ai ensuite profité de l'occasion pour lui demander si Martha avait également l'intention de s'y rendre, son absence des derniers jours m'inquiétant. Il m'a rassuré:

---

34 Comment ça va?

35 Ça va bien.

— Elle y va aussi.

Autour de nous, les chiens gémissaient de plus en plus. Certains se roulaient sur le sol tandis que d'autres se tenaient prêts à bondir au premier signal de leur maître. Après avoir encore attendu quelques minutes, Tamussi a finalement jeté les morceaux de viande au milieu des bêtes affamées. Le spectacle qui s'ensuivit fut terrifiant. À coups de gueule et de griffes, les chiens se disputaient le moindre morceau de nourriture. Des cris aigus suivis de couinements douloureux se mirent à déchirer l'espace et seules les bêtes les plus chétives qui attendaient en retrait la fin des combats pour se nourrir des improbables restants furent épargnées par cette furie.

Cette violence animale n'impressionnait pas Tamussi, qui observait la scène avec un air satisfait. Il savait que ce territoire n'offrait de chance qu'aux plus forts et que les individus les plus faibles étaient inévitablement éliminés. Après avoir nettoyé ses mains rougies par le sang avec un torchon qui pendait à sa ceinture, il a regardé sa montre puis il s'est tourné vers moi.

— C'est presque l'heure, je t'emmène en quatre-roues.

Je me suis calé derrière Tamussi, qui filait déjà plein gaz à travers les rues du village. Il nous a suffi d'une minute pour atteindre l'église. Devant l'entrée principale, des Inuits étaient rassemblés par petits groupes. J'ai reconnu Martha, mais je ne suis pas allé la voir, ne voulant pas m'imposer dans de telles circonstances. J'ai pris congé de Tamussi et je suis entré dans l'église. L'intérieur ressemblait à une salle communautaire. Des chaises pliantes étaient disposées en demi-cercle sur plusieurs rangées successives devant une table en bois recouverte d'une nappe blanche sur laquelle étaient disposés deux cierges allumés. Sur le mur du fond, un crucifix de grande dimension était gardé de chaque côté par des représentations naïves du Christ et de ses apôtres, qui prenaient ici la forme d'Inuits habillés de vêtements traditionnels. Assis à la première rangée, j'ai reconnu le Minotaure dans son uniforme de policier. Sa tête était repoussée vers l'arrière si bien qu'il donnait l'impression de prier. Sans faire de bruit, je me suis installé à côté de lui. Il s'est redressé en ouvrant lentement les yeux. Nous nous sommes salués silencieusement avant de replonger mutuellement dans nos propres pensées.

La cérémonie a curieusement débuté par l'introduction du cercueil dans l'église. Le ministre anglican a ensuite fait son apparition. C'était un petit Inuit moustachu dont les épaules tombaient légèrement vers l'avant. Il a parlé longtemps. Sa voix m'irritait. Je la trouvais trop calme en comparaison des cris qui s'échappaient de l'assistance par intermittence avant de disparaître dans une pluie de sanglots étouffés. Son sermon terminé, des femmes se sont levées pour entamer un chant en inuktitut, mais dès le second couplet, des dissonances au sein du chœur sont apparues. Ce fut d'abord un vibrato, puis un second et finalement l'effondrement. Alors que tout semblait perdu, une femme a retrouvé le courage de se faire métronome. Ses joues enluminées de larmes se sont gonflées d'air et ses mains se sont remises à battre la mesure. Après, ce fut le silence, le vrai, celui qui vous emplit le cœur et l'esprit.

Il a suffi de deux hommes pour soulever le cercueil et le transporter jusqu'à la porte principale de l'église. Cette légèreté ne m'a pas surpris: les enfants ne pèsent jamais lourd devant la mort. Pour sortir, personne ne pouvait y échapper maintenant, il fallait contourner le cercueil et croiser le visage de l'enfant. Je me suis mis en ligne et j'ai avancé en prenant grand soin de ne pas baisser les yeux. Je ne voulais pas voir. J'avais assez vu. Le Minotaure m'a imité. Une fois dehors et à bonne distance, il a lancé d'une voix étranglée qui trahissait son émotion:

— *It's so sad!*

C'était l'évidence, comme le nez au milieu du visage et le soleil dans le ciel. J'aurais voulu dire quelque chose mais tous les mots étaient maintenant superflus. Ils n'auraient rajouté qu'un malaise de plus en nous forçant à tenir une conversation dont nous ne voulions pas. Le policier m'a néanmoins accompagné jusqu'à l'entrée du chantier, où Thibault devait m'attendre impatiemment pour m'attribuer une nouvelle tâche. Avant de le quitter, je lui ai demandé s'il savait où se trouvait le cimetière. Il a pointé une petite route en terre battue qui s'enfonçait vers l'est.

— *Before the garbage dump. Why, did you want to go?*

— Non. Et toi?

— *Me neither, I think I've seen enough.*

Il m'a serré la main avant de partir à petits pas à travers les rues du village. Fidèle à mon habitude, je me suis adossé contre un conteneur pour griller une cigarette avant de rentrer travailler. Tout en faisant des ronds de fumée, j'ai repensé au Minotaure. Je me demandais si je l'avais réellement dérangé dans ses prières lorsque je m'étais assis à côté de lui un peu plus tôt. À sa place, à force de côtoyer une telle misère, j'aurais sans aucun doute perdu la foi et le goût des bondieuseries. Je me serais plutôt retranché derrière la loi du Talion, de l'œil pour œil et dent pour dent, parce que le pardon et la miséricorde, ça vous enlève le droit de haïr en vous poussant à soupeser jusqu'au pardon final. Alors non, le Minotaure ne priait sûrement pas.

J'avais à peine passé la porte principale du chantier que Thibault m'apostrophait:

— Alors, la cérémonie?

— Triste.

Il a haussé les épaules.

— Ça pouvait pas être autrement.

Ceci dit, il m'a cuisiné sur Martha, pour savoir si elle avait assisté au service funéraire. Son absence commençait à se faire sentir, car la plupart des Inuits employés sur le chantier ne parlaient qu'inuktitut. Pour les tâches simples, le langage des signes suffisait, mais parfois, certaines consignes très strictes devaient être respectées, notamment lorsque les travaux s'effectuaient près d'une source d'électricité. La présence d'une interprète était donc indispensable et son absence entraînait des risques accrus pour les travailleurs autochtones. Je comprenais par conséquent la frustration de mon contremaître, mais ce n'était pourtant pas à moi de rapporter les déplacements de Martha comme l'aurait fait un délateur. Si Thibault voulait en savoir davantage, il n'avait qu'à mener sa propre enquête. J'ai feint l'ignorance:

— Ça doit bien faire trois jours que je l'ai pas vue.

Thibault ne m'a visiblement pas cru, mais il m'a quand même laissé filer. Vers dix-huit heures, alors que j'enlevais mes vêtements ignifuges après avoir joué du chalumeau tout l'après-midi, Trois-Rivières est venu me trouver pour que je lui parle de la cérémonie. Il m'a écouté gentiment, sans jamais me couper, comme l'aurait fait un bon père de famille. J'ai apprécié sa délicatesse, parce qu'il n'a pas non plus cherché à faire le malin avec des phrases de circonstance. Le silence, celui qu'on partage à deux, c'est souvent la plus belle marque de compassion que l'on peut offrir à quelqu'un.

En quittant le chantier ce soir-là, je me suis rendu directement au magasin général pour m'acheter quelque chose à manger. Rêvant d'un peu de silence, je ne voulais pas souper au Staff House. Philippe, qui me connaissait sous mes moindres coutures, ne s'offusquerait pas de mon absence. Il savait que je devais régulièrement me retirer en solitaire pour ne pas me faire emporter par la marée des hommes, ce qui, tout compte fait, n'est qu'une autre manière de suffoquer.

Avant d'entrer dans le magasin, j'ai fumé une cigarette, mais cette fois jusqu'au filtre, pour ne rien perdre de ce qu'il y avait à prendre. Je me sentais sous pression, comme ma cafetière italienne posée sur l'élément rougissant de la cuisinière. Je ne me suis pas acheté grand-chose: des pâtes, quelques boîtes de conserve et deux paquets de cigarettes. Après avoir payé la jeune caissière dont les lèvres étaient alourdies par de nombreux anneaux, j'ai réalisé que je ne voulais pas rentrer chez moi. Mon transit, avec ses murs horriblement blancs et ses électroménagers ronronnant, me déprimait. J'ai donc décidé d'aller marcher dans la toundra avec pour seule compagnie le sifflement du vent et l'éternité du ciel.

Ne sachant quelle direction prendre, j'ai choisi le chemin de la station de pompage. Au bout d'un kilomètre, j'ai quitté la route en terre battue qui disparaissait dans un coude pour me laisser guider par mon propre instinct. Je n'avais ni fusil ni système de localisation satellite, mais je ne m'en souciais guère. D'ailleurs, je ne prenais toujours pas au sérieux la mise en garde que Philippe m'avait faite avant mon départ de Montréal. Chemin faisant, je croisais fréquemment des *inuksuit* et des panaches de caribous que des mousses voraces recouvraient partiellement de leur peau verdâtre. De petites fleurs blanches commençaient également à apparaître, mais elles étaient encore trop peu nombreuses pour former un véritable tapis.

Après avoir parcouru quelques kilomètres, j'ai trouvé un rocher confortable contre lequel m'adosser et je me suis laissé bercer par la profondeur et la pureté du silence qui m'entourait. Mes muscles lentement se détendaient et mon esprit, pour la première fois depuis longtemps, se vidait de ses chimères habituelles. Je me sentais sur le point de m'assoupir lorsqu'un sentiment étrange m'a envahi. J'avais l'impression d'être épié, comme si quelque chose s'approchait de moi à pas feutrés. J'ai ouvert les yeux mais je n'ai constaté que l'immensité de la toundra. J'ai dû me concentrer de plus belle pour finalement l'apercevoir: un loup gris, à cinquante mètres devant moi.

Sous l'effet de l'adrénaline, mon cœur a fait deux tours, peut-être plus. Sans réfléchir, je me suis levé en saisissant au passage une pierre de taille raisonnable, mais cette arme improvisée faisait pâle figure en comparaison des griffes de mon adversaire qui avançait vers moi sans me quitter des yeux. Je m'attendais à le voir bondir à tout instant lorsqu'il a subitement fait demi-tour. Derrière moi, un Inuit à califourchon sur son quatre-roues fonçait à vive allure dans ma direction. Comme un naufragé apercevant un navire de sauvetage, je me suis mis à faire des grands signes désespérés en criant:

— *Amaruq! Amaruq!*

L'Inuit a immobilisé son véhicule à quelques mètres de moi puis il a épaulé son fusil, dont la bandoulière en cuir claquait au vent. J'essayais de l'aider du mieux que je le pouvais en recherchant le loup des yeux, mais celui-ci avait vraisemblablement disparu derrière une petite colline. Rassuré, mon bienfaiteur a baissé son arme en se permettant au passage ce commentaire:

— *You shouldn't be here alone.*

Je sais que la solitude est un piège mortel, une lente préparation à la mort, mais jamais je n'aurais cru qu'elle puisse me tendre un tel guet-apens. L'Inuit, un homme dans la quarantaine dont la peau épaisse ressemblait à un cuir longuement tanné, m'a ramené au village sans perdre de temps. Avant de m'abandonner devant mon transit, il m'a de nouveau mis en garde contre mon intrépidité.

— *Don't forget: the tundra is not a safe place for a Qallunaaq!*

Une fois rentré chez moi, je me suis servi un grand verre de whisky. Enfoncé dans mon divan, je repensais au loup et je me demandais comment cette histoire se serait terminée si ce chasseur n'était pas apparu sur son quatre-roues comme un chevalier sur son fidèle destrier. Ma chance relevait de l'impossible, mais comme je n'étais pas enclin de nature à attribuer aux événements imprévus un sens caché, je n'y ai vu là aucun signe. Aujourd'hui, je l'entends différemment. Je crois que quelque chose ce jour-là cherchait à me détourner de la toundra. Malheureusement, je n'ai pas écouté, parce qu'on m'avait un jour promis une expédition de pêche inoubliable et que j'ai moi aussi l'instinct des prédateurs.

CHAPITRE ONZE

Étonnamment, malgré les événements traumatisants de la veille, j'avais très bien dormi : une nuit sans rêves comme un ciel sans nuages. Après avoir copieusement déjeuné, j'ai revêtu mes habits de travail et je suis sorti. En remontant la rue principale, j'ai aperçu plusieurs enfants qui s'amusaient seuls. La mort du petit Palausie ne semblait pas avoir changé l'attitude générale des parents à l'égard de leur progéniture. Par contre, une surprise inattendue m'attendait un peu plus loin.

— *Ullakut!*

Accompagnée par un chien à la fourrure noire et au regard perçant, Martha se tenait debout devant l'entrée du chantier, une cigarette allumée à la main. Je me suis dirigé vers elle d'un pas décidé pour la saluer à mon tour. Le chien qui était assis à ses côtés s'est alors cabré sur ses quatre pattes en poussant un grognement inquiétant. Sans douceur mais sans violence excessive non plus, Martha lui a donné un coup de pied dans les côtes :

— *Murungilaurit*[36] !

L'animal surpris a émis un court couinement avant de se rasseoir à contrecœur derrière sa maîtresse. Je n'étais pas rassuré, mais Martha m'a fait comprendre qu'il n'y avait rien à craindre.

— N'aie pas peur, il voulait seulement me protéger. Comment vas-tu?

— Je vais bien mais j'étais inquiet pour toi.

Martha n'a pas relevé ma dernière remarque. Ce n'était pas étonnant : elle évitait toujours les sujets trop personnels, comme

---

36 Cesse de japper!

si seules les questions se rapportant à la météo ou aux cycles de la nature pouvaient être abordées entre nous. Pour alimenter cette conversation qui risquait de s'éteindre à tout moment, je lui ai relaté ma rencontre avec le loup gris.

— Je m'étais adossé contre une pierre et il est apparu devant moi comme un mauvais rêve.

— Tu as eu peur?

J'ai dû admettre candidement.

— Oui, beaucoup.

Le visage de Martha s'est durci.

— Je t'avais prévenu: tu ne dois pas t'éloigner du village sans être armé d'un bon fusil. Tu sais tirer?

— Non.

— Alors ne pars jamais seul!

Martha insistait mais c'était inutile: je réalisais à présent mon imprudence. Par contre, si elle connaissait intimement les dangers qui peuplaient l'intérieur des terres, elle ignorait qu'un autre prédateur cherchait à retrouver sa trace depuis plusieurs jours maintenant. J'ai voulu la mettre en garde.

— Thibault a beaucoup parlé de toi pendant ton absence. Il n'était pas content. Tu ferais mieux de penser à ce que tu vas lui dire.

Martha m'a regardé gentiment. Au même instant, une formation d'oies sauvages a déchiré le ciel. Nous les avons suivies du regard jusqu'à ce qu'elles disparaissent sous la ligne d'horizon dans une cacophonie de piaillements stridents. Martha s'est ensuite dirigée vers l'entrée du chantier mais j'ai mis ma main sur son épaule pour l'arrêter:

— Et pour Thibault?

Martha m'a gentiment regardé.

— Ne t'en fais pas pour moi, tout ira bien.

Malheureusement, et comme je le craignais, Thibault l'a

accueillie avec un *qaigit*[37]! qui trahissait son énervement. Le visage de Martha s'est décomposé d'un seul coup. Elle n'était pas la seule à être surprise. Tous les travailleurs se sont arrêtés de travailler, car ce n'était pas la manière habituelle de faire. Normalement, Thibault utilisait sa roulotte de commandement pour rencontrer les employés fautifs, mais il rêvait sans doute depuis trop longtemps de faire un exemple aux yeux et au su de tous. Pour ne rien arranger, Martha n'a pas cherché à justifier son absence. Elle aurait facilement pu recourir à la mort du petit Paulusie pour se défendre, mais elle s'est contentée de baisser la tête, ce qui n'a pas calmé Thibault.

— Toi, la prochaine fois que tu crisses ton camp sans prévenir, perds pas ton temps à revenir ici! *Tukisivit*[38]?

Je me suis demandé si notre contremaître n'utilisait pas ses maigres connaissances de l'Inuktitut pour humilier davantage Martha. Ce n'était pas certain mais cela n'avait aucune importance. Tous les travailleurs le regardaient maintenant avec du dégoût plein les yeux et des mots durs plein la bouche. Il a dû s'en rendre compte, puisqu'il n'a pas tardé à se réfugier dans sa roulotte de commandement. J'ai pensé aller voir Martha, pour lui dire de ne pas s'en faire, que cette mise en garde s'adressait à tout le monde, mais je me suis ravisé pour ne pas la gêner davantage. De toute manière, je n'aurais pas su quoi lui conseiller pour éviter les foudres de Thibault. Contrairement à la toundra, il ne suffisait pas de se promener sur le chantier avec une arme en bandoulière pour éloigner les bêtes enragées. Il fallait apprendre à se faire petit, tout petit.

À l'heure de la pause, nous sommes tous revenus sur l'altercation qui avait eu lieu un peu plus tôt entre Thibault et Martha. Trois-Rivières menait encore une fois la charge:

---

37 Viens ici!
38 Comprends-tu?

— Thibault mériterait de se faire enfoncer un marteau dans le cul!

Martin Picard, un menuisier à qui je parlais parfois, a tempéré les propos de mon ami:

— D'accord pour le marteau, mais Martha méritait quand même de se faire engueuler. Si tu disparaissais pendant trois jours sans rien dire à personne, Thibault t'aurait sacré dehors pis personne aurait pleuré sur ton épaule!

Trois-Rivières a réfléchi:

— Tu sais très bien que c'est pas la même chose pour Martha. On n'a pas le choix de la faire travailler, à cause de la convention.

Son argument n'a pas convaincu Martin:

— La convention, je m'en fous. C'est pas une raison pour fermer les yeux ni faire dans le deux poids deux mesures avec Pocahontas. La même chose pour le petit gars qui s'est noyé derrière le chantier. Je vais pas m'apitoyer sur les parents parce que c'est la misère ici. Ils avaient juste à le surveiller au lieu de le laisser jouer dehors à sept heures du matin!

Trois-Rivières a levé les bras vers le ciel:

— Martin, tu sais bien que c'est dans la nature des Inuits de pas faire dans l'autorité!

Mais le menuisier ne voulait rien entendre:

— Sacre-moi patience avec tes histoires de traits distincts! Ça me dérange pas qu'ils bouffent de la viande crue jusqu'à s'en faire péter la panse. Au contraire, y peuvent bien retourner vivre dans leurs igloos avec leurs arcs pis leurs flèches. Par contre, pour les enfants, je peux pas l'accepter!

Trois-Rivières ne comprenait pas:

— De quoi tu parles, sacrement?

— De négligence, calice! Pis c'est toujours la même chose. Hier, je revenais du magasin général, y'a une petite qui m'arrête au beau milieu de la rue. Peut-être douze ans. Elle veut rentrer chez moi, parce qu'elle a froid. Crisse, t'imagines si j'avais l'âme d'un violeur? Je t'aurais arrangé la petite avec tout mon outillage! Ça fait que t'auras beau me parler de toutes leurs traditions qui datent de la préhistoire, y'est pas question que je leur pardonne ce que je pardonnerais pas à un Blanc!

Il venait de se produire quelque chose d'intéressant. Alors qu'il était initialement question de Thibault contre Martha, nous étions maintenant à faire le procès de tout un peuple. Le glissement s'était opéré subtilement et personne ne semblait se soucier de cette dérive qui nous poussait maintenant à troquer le singulier pour le pluriel. Cette situation me rappelait mes propres amis lorsque je leur parlais autrefois des Cris. Contrairement à mon père, ils m'écoutaient d'abord gentiment, se montrant même intéressés, pour ne pas dire sensibles, à la cause des Premières Nations. Ensuite, je n'y manquais pas, ils y allaient de tous les clichés possibles: l'immunité fiscale supposément accordée aux autochtones, la contrebande de tabac et les bingos mohawks situés aux abords de Montréal. Pire encore, ils se souvenaient de ces Cris qui avaient osé parler de sécession lors du dernier référendum québécois sur la souveraineté. Indépendantistes résolus, ils n'avaient pas pu accepter de se faire damer le pion sur leur propre terrain, celui du colonisé. Avec le temps, j'avais simplement cessé d'aborder ce sujet avec eux et nous nous en portions tous mieux depuis.

Martin et Trois-Rivières se sont encore querellés quelques instants. Finalement, le vieux travailleur de la Mauricie a baissé les armes:

— Ça va, Martin, y'a pas de raison de s'engueuler. C'est Thibault qui pose problème, pas Martha!

Malgré son air bourru et ses manières un peu rustres, Trois-Rivières possédait cette intelligence de la rue, une sorte d'instinct naturel qui lui permettait de naviguer en eau trouble sans jamais s'échouer. Cette qualité ne manquait pas de lui attirer la sympathie de tous, à commencer par moi. Notre pause terminée, nous sommes retournés retravailler. Aujourd'hui, j'aidais à poser des panneaux de gypse et à tirer les joints au premier étage. Pour le revêtement extérieur, certains matériaux manquaient toujours, notamment la tôle métallique pliée pare-air et les parements en fibre de bois préfini. En contrepartie, la toiture était pratiquement terminée: les rangs d'isolant, le contreplaqué, la membrane et les parements métalliques avaient été installés récemment.

Vers la fin de l'après-midi, je suis allé fumer une cigarette près des cuves situées à l'arrière du chantier. Les planches de bois n'avaient pas bougé. Quelques minutes plus tard, Trois-Rivières me rejoignait. Je lui ai tendu mon paquet en disant:

— La seule solution, ce serait de tout remblayer, comme pour une tombe.

— T'as raison, mais ça sera pas suffisant pour empêcher les enfants d'ici de mourir bêtement.

— C'est la même chose chez nous, avec les piscines l'été.

Trois-Rivières a soupiré:

— Jacques, je travaille ici depuis longtemps et c'est toujours l'hécatombe. T'as qu'à regarder le drapeau devant le magasin général. C'est le meilleur des baromètres: en berne un jour sur cinq!

— Tu penses aussi que c'est la faute des parents?

— Moi, j'ai pas d'opinion. Les Inuits, tu peux les côtoyer autant comme autant, ils vont toujours te raconter n'importe quoi: la pluie, le beau temps, la chasse et patati et patata. Pour le reste, motus et bouche cousue. Pis c'est pareil pour l'inuktitut. T'auras beau leur demander de t'apprendre, ils vont toujours trouver une excuse pour pas le faire. Pourquoi? Je sais pas!

Peut-être que l'inuktitut, c'est leur dernier refuge, la seule chose qu'on peut pas leur enlever?

Sur quoi il a écrasé son mégot par terre. Avant de le laisser partir, je lui ai proposé de venir souper avec moi au Staff House. Il a décliné mon invitation.

— C'est gentil mais j'ai un rendez-vous téléphonique avec ma femme ce soir. Je veux aussi parler à mon gars. Y'a un match de soccer important en fin de semaine pis je veux l'encourager. Tu comprends, il rêve de jouer pour l'Impact de Montréal!

J'ai souri et Trois-Rivières a poursuivi:

— Tu sais, le rôle des parents, c'est d'encourager leurs enfants à aller au bout de leur folie. Pour le reste, on peut juste espérer que tout se passe bien.

Il a ensuite ajouté, comme un point final:

— Ici, je me dis que c'est le contraire, que c'est les enfants qui savent pas comment empêcher la folie de leurs parents. C'est pour ça qu'ils traînent dans les rues sans jamais rentrer chez eux, pour pas se faire emporter dans la tourmente même si ça n'empêche pas la glace de craquer sous leurs pieds.

Je suis resté un moment à regarder les cuves et à me demander pourquoi je me sentais concerné à ce point par celles-ci et le danger qu'elles représentaient. J'avais beau mépriser Thibault pour son indifférence et son obsession des échéanciers qui altérait son jugement, il n'avait sans doute pas tort lorsqu'il affirmait que ce n'était pas à moi de surveiller ou de protéger les enfants du village. Trois-Rivières, que je respectais pourtant beaucoup, semblait être de son avis. La mort dans l'âme, je me suis néanmoins mis à ramasser des pierres pour ensuite les empiler sur les planches de bois. Ça ne valait pas grand-chose, comme pour Thibault avec ses soudures dans la toiture, mais je voulais quand même essayer quelque chose pour me donner bonne conscience. Entre deux voyagements, je suis tombé sur une petite botte en caoutchouc qui gisait esseulée sur le sol boueux. Son dernier propriétaire l'avait abandonnée là sans savoir qu'il n'en aurait plus jamais besoin. Je l'ai ramassée en pensant la jeter un peu plus tard.

J'étais à peine revenu sur le chantier que Thibault m'envoyait jouer du chalumeau dans la toiture. Selon lui, de fines craquelures étaient apparues dans les derniers jours et il voulait s'assurer que celles-ci ne s'agrandissent pas. Je ne le croyais pas mais je ne pouvais pas m'opposer à sa volonté. La toiture était devenue pour Thibault un lieu d'angoisse qui trahissait en fait son sentiment d'impuissance général face au retard que prenaient certains travaux. Me faire travailler ainsi devait lui donner une impression de maîtrise dont il avait cruellement besoin.

Vers dix-huit heures, j'ai prétexté un malaise et je suis parti marcher sur le bord de la grève, où plusieurs Inuits s'affairaient à préparer leurs embarcations pour la belle saison. En les regardant travailler, j'ai réalisé que Philippe n'avait trouvé personne pour remplacer Joanassie et je me demandais s'il ne valait pas mieux que je m'en charge personnellement en proposant à Tamussi de prendre la place de son père malgré les réticences de mon ami.

En remontant vers le Staff House, j'ai décidé de tenter ma chance et de passer devant le petit plain-pied que je devinais être sa maison. Le drapeau mohawk claquait toujours au vent, mais les chiens avaient disparu. Seules les chaînes d'acier traînaient pêle-mêle sur le sol ensablé. J'ai fait le tour du bâtiment, mais il n'y avait pas âme qui vivait. J'allais reprendre mon chemin lorsque quelqu'un a crié mon nom. Martha arrivait par une rue transversale en compagnie d'une fillette enjouée et de ce gros chien noir qui m'avait accueilli ce matin par des grognements menaçants. La petite s'est précipitée vers moi :

— *Kinauvit*[39]?

— *Jacques uvunga*[40].

Martha n'a pas tardé à nous rejoindre.

— C'est ma fille Nelly, elle a sept ans.

— J'ignorais que tu avais d'autres enfants?

— Oui, trois: Tamussi, Nelly et Inukpuk.

— Au fait, sais-tu où se trouve Tamussi?

Martha a pointé une petite île dont la crête dentelée brisait la ligne d'horizon.

— Il est allé porter sa meute sur l'île aux chiens pour qu'elle y passe tout l'été. C'est une manière de l'endurcir.

J'ai saisi l'occasion qui se présentait à moi.

— Crois-tu qu'il accepterait de m'emmener pêcher dans la toundra avec Philippe?

Elle a dodeliné de la tête.

— *Aassuk.*

— Peux-tu lui demander?

— *Aa*[41].

Le vent s'est soudainement mis à souffler du large comme s'il voulait nous arracher à la terre. Dans un coin du ciel, des nuages torsadés commençaient à s'accumuler et à former un cercle grisâtre. Les pêcheurs de la Côte-Nord et de la Gaspésie appelaient ce genre de phénomène un «œil de bouc», soit un signe annonciateur de tempête. Martha avait également remarqué ce signe de mauvais présage.

— Il va bientôt pleuvoir.

— Tamussi ne devrait pas rentrer?

— Non, son père lui a montré à naviguer comme un vrai Inuit.

---

39 Comment t'appelles-tu?
40 Je m'appelle Jacques.
41 Oui.

J'ai hésité un instant avant de lui demander:

— As-tu des nouvelles de Joanassie?

Elle a détourné son visage.

— Je n'en veux pas: il m'a fait trop mal.

Lorsqu'elle m'a regardé de nouveau, son regard avait repris l'aspect fragmenté des banquises. Je m'en suis soudainement voulu d'avoir abordé un sujet si douloureux, mais la question m'avait échappé. Martha est restée encore un moment à fixer la baie, où des moutons de brume se formaient tranquillement à la surface des eaux grisâtres, puis elle m'a dit:

— Je dois rentrer pour préparer le souper maintenant. *Assunai*[42] *!*

Je l'ai regardée s'éloigner à petits pas, en regrettant l'erreur que je venais de commettre. Il est pourtant difficile de côtoyer quotidiennement une personne sans jamais chercher à pousser la conversation au-delà des lieux communs, surtout lorsque cette dernière suscite un sentiment de profonde sympathie. Après tout, on ne peut pas toujours ignorer son prochain. Il faut bien un jour ou l'autre prendre parti, même si ça n'y change souvent pas grand-chose.

Je me suis allumé une cigarette et j'ai repris mon chemin pour ne pas me faire surprendre sans imperméable par la pluie. Comme pratiquement tous les soirs, je suis allé au Staff House pour trouver Philippe et Julie qui se bécotaient comme deux adolescents au salon. Christian s'affairait quant à lui au-dessus de la cuisinière. Curieux, je suis allé le rejoindre pour voir ce qu'il nous concoctait. Placées côte à côte sur une feuille de papier d'aluminium, trois jolies truites aux flancs tachetés de blanc et aux nageoires orangées se laissaient docilement assaisonner par notre cuisinier de service.

---

42   Salut! (en partant).

— Elles sont magnifiques!

Christian m'a tapé sur l'épaule en souriant.

— Toi aussi, tu vas en pêcher des aussi belles bientôt!

Je ne demandais qu'à le croire, mais il nous manquait toujours un guide pour partir à l'aventure à l'intérieur des terres et, depuis ma rencontre avec le loup gris, je n'avais pas l'intention de m'y risquer seul. Avec un peu de chance, Tamussi accepterait peut-être de nous y mener. Par contre, je craignais la réaction de Philippe, car il s'était opposé à cette solution de rechange. Comme de fait, lorsque je lui ai fait part de mes démarches auprès de Martha, il a paru contrarié:

— J'ai un mauvais pressentiment.

— Pourquoi?

— Tamussi, c'est un bon petit gars, ça j'en suis certain. Par contre, j'ai peur qu'il finisse par faire une niaiserie avec tout ce qu'il endure depuis des semaines maintenant.

— Tu parles de son père?

— De tout le reste aussi.

C'était bien la première fois que je voyais Philippe s'exprimer à travers des sous-entendus qu'il était bien le seul à comprendre. Je n'étais d'ailleurs pas le seul à m'interroger sur le sens de ses paroles. Même si elle passait le plus clair de son temps à réparer les éclopés du village, Julie paraissait perplexe. Philippe n'a pas tardé à le remarquer:

— T'es pas d'accord?

Julie a pris un air indécis:

— C'est certain que Tamussi doit souffrir, mais ça veut pas dire qu'il va nécessairement finir par faire une connerie. Au contraire, je pense qu'il serait bien content de vous servir de guide. Après tout, ça serait l'occasion pour lui de montrer son savoir-faire à des *Qallunaat*.

Philippe aurait sans doute rétorqué quelque chose si Christian ne s'était pas empressé d'y ajouter son grain de sel:

— En plus, Tamussi, c'est un garçon sérieux. T'as qu'à le regarder s'occuper de ses chiens pour t'en rendre compte!

Confronté à une telle levée de boucliers, Philippe a réalisé l'inanité de la lutte. Avec un certain dépit, il a concédé du bout des lèvres:

— Vous avez peut-être raison.

Fatigué, j'ai quitté le Staff House vers vingt-trois heures. Sur la ligne d'horizon, une petite bande orangée comme une ceinture de feu brûlait toujours. C'était le jour éternel qui s'installait lentement sur le Nunavik. De nombreux ouvriers sur le chantier m'avaient prévenu: je devais masquer mes fenêtres au plus vite si je ne voulais pas devenir insomniaque. Autrement, la lumière s'infiltrerait par les moindres orifices, à commencer par la peau fragile de mes propres paupières, et il faudrait alors me rabattre sur le whisky pour m'endormir.

J'ai encore fumé une cigarette avant de rentrer. Adossé contre la façade du bâtiment qui abritait mon transit, je me demandais si je n'étais pas obnubilé par cette expédition de pêche au point de ne pas réaliser le manque de jugement dont je faisais peut-être preuve en cherchant à remplacer Joanassie par son fils. C'était difficile à dire et je manquais de perspective pour trancher la question. Par ailleurs, les arguments de Philippe me laissaient de marbre, car je me voyais mal condamner Tamussi pour les crimes de son père, même si je pouvais comprendre ses réticences. Le problème avec les victimes de violence et leurs descendants, c'est qu'on ne sait jamais comment les prendre, parce qu'ils suscitent des malaises qu'on ne peut expliquer et des questions pour lesquelles il n'y a jamais de réponses. C'est pour cette raison que j'évitais normalement d'aborder la question de Joanassie avec Martha. Je ne voulais pas ouvrir une porte et pénétrer dans un endroit qui m'était inconnu mais à l'intérieur duquel je pressentais bien des souffrances. Je préférais me tenir loin, très loin de cette folie qui me rappelait mes propres violences, celles de mon enfance avec ses croque-mitaines devant lesquels je me sentais encore impuissant aujourd'hui, car certaines blessures ne se referment jamais, peu importe la qualité des soudures.

Frigorifié, je suis finalement rentré pour prendre une douche chaude. Au bout de dix minutes, il a manqué d'eau. Encore transi, j'ai pensé téléphoner à Caroline pour me laisser réchauffer par sa voix, mais je me suis ravisé au dernier moment. Malgré l'heure tardive, elle devait encore travailler derrière son comptoir crasseux où se répandaient depuis toujours des mots perdus et des larmes de bière que rien n'asséchait. Pour lui parler, il m'aurait fallu attendre jusqu'à trois heures du matin et je n'avais pas la force de poireauter aussi longtemps à côté de mon téléphone. Du reste, je ne pouvais pas l'appeler constamment pour lui demander de partager ce silence que je cultivais sans espoir de récolte future. Je suis plutôt allé prendre mon sac à dos, celui que j'apportais chaque matin sur le chantier. À l'intérieur, il y avait la botte en caoutchouc du petit Paulusie. Je n'avais pas eu le cœur de la jeter. C'était probablement ma manière à moi de préserver le souvenir de l'enfant. Je l'ai placée au pied de mon lit puis j'ai fermé la lumière, pour ne plus rien voir, sinon des étoiles imaginaires sur le plafond de ma chambre qui se déployait au-dessus de moi comme un ciel infini.

CHAPITRE DOUZE

Deux semaines s'étaient encore écoulées et juillet avait pris le plein contrôle sur la toundra. Je fumais maintenant chaque matin en compagnie de Martha. Trois-Rivières nous rejoignait à l'occasion et nous passions tous les trois de longues minutes à fixer l'horizon sans rien dire, car la présence d'un nouvel étranger compliquait davantage les échanges avec Martha. Parfois, lorsque le vent soufflait du large avec force, il emportait avec lui non seulement des parfums marins, mais également les aboiements désespérés des chiens que Tamussi avait abandonnés sur cette petite île perdue au milieu de la baie. Le jeune Inuit, qui voulait tester leur endurance, ne les nourrissait plus qu'occasionnellement. Dernièrement, comme je marchais le long de la grève, je l'avais rencontré. Il chargeait son canot avec des morceaux de viande emballés dans des sacs de plastique. Il m'avait alors parlé de sa meute et de ce raid entre Puvirnituq et Kuujjuaq qu'il prévoyait entreprendre au début de l'hiver. À travers les odeurs de chair macérée et le bouillonnement incessant des moucherons, il m'avait dit :

— Aujourd'hui, lorsque je vais les nourrir, je vais bien regarder pour voir quel animal mange en premier. Ce sera lui que je vais choisir pour prendre la place de flèche dans mon attelage.

Même s'il élevait ses chiens avec dureté, l'amour que Tamussi leur portait était évident. Alors que les Inuits se tournaient aujourd'hui vers la motoneige et le quatre-roues pour assurer leurs déplacements dans la toundra, il s'évertuait à préserver ce lien privilégié qui avait toujours uni son peuple à cet animal; les changements d'habitude couplés à l'abattage systématique des chiens de traîneaux par les autorités policières dans les années cinquante ayant bien failli faire disparaître les chiens de race du Nunavik. Lors de notre conversation, il était fréquemment revenu sur ce sujet.

— Aujourd'hui, il faut éviter que nos chiens se reproduisent avec des sacs à puces venus du sud. Tu comprends, la pureté, c'est très important!

Au bout d'une demi-heure, Tamussi avait finalement poussé son canot vers le large. Je l'avais regardé partir en me maudissant de ne pas avoir osé lui demander en personne de prendre la place de son père pour l'expédition de pêche. C'était idiot, mais je ne voulais insister outre mesure. Martha lui avait sûrement fait mon message et, s'il n'avait passé aucun commentaire, c'était sans doute parce qu'il n'était pas intéressé à emmener deux *Qallunaat* dans la toundra. J'étais donc demeuré immobile, presque stupide, à lui faire des signes de la main comme s'il partait pour un long voyage. Et plus il s'éloignait sur la baie, plus je me détestais de ne pas savoir comment m'imposer dans cette vie dont les rênes me glissaient obstinément entre les doigts. Je me serais d'ailleurs maudit indéfiniment si Philippe n'était venu cogner à ma porte dans les jours suivants pour m'annoncer une nouvelle inattendue.

— J'ai trouvé un guide!

Je n'en revenais pas.

— Qui?

— Peter Nutaraluk, un homme à tout faire qui travaille de temps en temps comme bagagiste à l'aéroport.

— Tu le connais bien?

— Assez pour lui faire confiance.

Selon ce que Philippe avait convenu avec cet homme, le jour du départ était fixé à la mi-août, soit dans un peu plus d'un mois. Peter Nutaraluk, tout comme Joanassie, ne demandait pas grand-chose en échange de ses services, seulement de quoi payer l'essence et la nourriture. Même si je ressentais une joie immense à l'idée de cette expédition, j'étais néanmoins déçu de devoir attendre aussi longtemps avant de ferrer ma première truite. En attendant, je devais me rabattre sur les rivières qui ceinturaient le village, à commencer par celle qui coulait devant la station de pompage. Philippe venait parfois me chercher après mon travail pour m'y conduire gentiment, car le souvenir du loup gris était encore frais à ma mémoire et je n'osais plus m'aventurer seul dans la toundra. Philippe cherchait souvent à me rassurer.

— Tu sais Jacques, j'ai jamais vu un loup si près du village.

Son scepticisme m'offusquait.

— Crisse, y'était devant moi!

Ma certitude ne suffisait pas à le convaincre.

— Écoute, je veux pas te contredire, mais c'était sûrement juste un chien. Y'en a plusieurs qui se sauvent dans la toundra pour s'éviter une fin tragique au fond du dépotoir municipal.

Je ne savais pas à quoi il faisait référence mais ça ne m'intéressait pas. Je lui en voulais de ne pas me prendre au sérieux et de ne pas comprendre qu'on ne raisonne pas avec l'angoisse qui se fait instinct. D'ailleurs, même si Philippe m'accompagnait et restait près de moi sur le bord de la rivière, je gardais constamment l'œil ouvert. Cette précaution était pourtant inutile. En absence de tout relief, le loup avait réussi à me surprendre et j'étais certain qu'il saurait renouveler cet exploit si l'occasion lui en était donnée. À présent, et pour la première fois de ma vie, je craignais davantage l'absence et son silence que les hommes et le mensonge de leurs voix.

Cette crainte de la prédation ne m'empêchait pourtant pas de profiter de ces heures passées à pratiquer mon activité favorite. Chaque soir, un verre de whisky à la main, j'examinais mon matériel de pêche et je cherchais un leurre approprié pour ma prochaine sortie. Comme les eaux de la rivière près de la station de pompage étaient claires et profondes, j'utilisais une cuiller tournante argentée dont le cône de rotation s'adaptait à la force modérée du courant. Ma ligne lancée à l'eau, j'évitais de mouliner sur un rythme monotone tout en m'efforçant d'effectuer des cassures fréquentes afin d'attiser la curiosité des truites qui s'obstinaient malgré tout à ne pas se laisser prendre au piège. En quinze jours, je n'avais rien attrapé. Soit le poisson sommeillait encore, soit les Inuits avaient écumé cette rivière à tel point qu'elle ne renfermait plus un seul alevin.

Le lundi dix juillet, alors que je célébrais une ixième défaite au Staff House en compagnie de Philippe et du Minotaure, Christian, qui venait d'effectuer une évacuation médicale à Inukjuaq, était entré en trombe dans le salon:

— Ils arrivent!

Le Minotaure s'était interrogé à haute voix:

— *Who?*

Christian avait répondu comme si c'était une évidence:

— Les caribous, voyons!

C'était le grand troupeau de la rivière aux Feuilles qui effectuait sa migration annuelle. Cinq cent mille têtes couplées à deux millions de sabots qui, année après année, à la mi-juillet, remontaient lentement vers le nord pour trouver de nouveaux pâturages. La nouvelle de leur arrivée s'était répandue comme une traînée de poudre au village. Cette nuit-là, les quatre-roues avaient sillonné les rues en produisant un tintamarre affolant. Ce n'était plus l'errance ou la lente traversée des jours, mais l'effervescence qu'engendrait la chasse à venir.

Le lendemain matin, lorsque je suis arrivé près du chantier, j'ai trouvé Martha qui, contrairement à son habitude, fixait l'intérieur des terres où plusieurs tentes en jute solide avaient été dressées durant la nuit. Je lui ai tendu mon paquet de cigarettes, mais elle l'a repoussé en disant:

— Les caribous seront là ce soir.

— Combien?

Elle a pris un air rêveur.

— Des milliers.

— Tu vas aller chasser?

— *Auka.*

— Et Tamussi?

— *Aa.*

J'ai regardé à mon tour vers l'intérieur des terres sans comprendre l'utilité de dresser des tentes si près du village. À ce compte, les Inuits auraient mieux fait de dormir dans leurs maisons. Martha n'était pas d'accord.

— Il fait mieux vivre sous la tente: il y a plus d'espace et moins de gens.

Sur le chantier, la majorité des Inuits avaient déserté, ce qui n'empêchait pas Thibault de siffloter comme un moineau. Selon les dernières nouvelles, le bateau affrété par la compagnie était attendu d'un jour à l'autre. Avec l'arrivée de ce dernier et de ses cales bondées de matériaux, plus rien n'empêcherait notre contremaître de terminer cette école et de quitter cet endroit pour lequel il semblait avoir développé une certaine forme d'aversion. Trois-Rivières se plaisait souvent à dire qu'on avait placé Thibault ici pour se débarrasser de lui, ce qui expliquait son caractère irascible. Cela ne faisait aucun sens: ce genre de poste n'était confié qu'à des gens compétents puisque le moindre retard d'échéancier entraînait des coûts faramineux pour les entrepreneurs. Je crois plutôt que notre contremaître en était venu à associer ses malheurs à ce village, ce qui, bien entendu, était une regrettable erreur de jugement.

Vers dix-neuf heures, j'ai quitté le chantier en compagnie de

Trois-Rivières. Je pensais retourner à mon transit pour prendre une douche avant de souper, mais Philippe nous attendait à la sortie au volant d'une camionnette. Julie se trouvait à ses côtés.

— Les premiers caribous sont à trois ou quatre kilomètres vers le sud: vous venez les voir avec nous?

Je me suis retourné vers Trois-Rivières.

— Tu viens?

Il n'a pas réfléchi un seul instant.

— Certain!

Philippe nous a fait signe de monter sur la banquette arrière et nous sommes partis en abandonnant dernière nous un petit nuage de poussière. Il fallait faire vite, car les déflagrations rythmeraient bientôt les heures, et la toundra ne serait plus un lieu sûr pour les *Qallunaat* en quête de sensations fortes. Julie racontait souvent que chaque année, au moins un chasseur se voyait atteint par une balle perdue. Philippe, plus suspicieux, se plaisait à dire que ces coups du sort ressemblaient davantage à des règlements de compte, ce que personne ne pouvait évidemment prouver. L'idée n'était pourtant pas dénuée de sens. On disait qu'autrefois, les Inuits se débarrassaient des éléments déviants de leur communauté qui ne répondaient pas à la pression du groupe en les exilant, sinon en les exécutant sous le couvert d'un accident de chasse. En repensant aux difficultés qu'éprouvait le Minotaure lorsqu'il tentait de faire respecter les décisions de la cour itinérante, je me suis surpris un bref instant à songer qu'une telle méthode avait peut-être du bon. Évidemment, j'ai rapidement chassé cette pensée de mon esprit.

Nous avons roulé en direction du dépotoir municipal puis, après avoir dépassé le cimetière, un petit carré de terre ensemencée de tertres funéraires, Philippe a quitté le chemin graveleux pour s'aventurer sur un sentier boueux que des trous d'eau crevassaient à intervalles réguliers. Nous étions affreusement ballottés. Philippe et Julie riaient pourtant de bon cœur tandis que Trois-Rivières s'accrochait comme il le pouvait à sa ceinture. Au bout de cinq ou six kilomètres, Philippe a subitement immobilisé la camionnette.

— Les voilà!

Au sommet d'une petite colline, des centaines de caribous avançaient à la queue leu leu. Comme une figure de proue, un grand mâle couronné par des bois impressionnants ouvrait la marche. Sa fourrure était grise et son collet, d'un blanc soyeux. En tendant bien l'oreille, il était possible d'entendre l'écho de ces milliers de sabots martelant à l'unisson le sol rocailleux de la toundra. Cela ressemblait à la mélodie d'un ruisseau roulant des billes de gravier sur des dizaines de mètres. Nous aurions facilement pu nous laisser bercer par cette musique des heures durant si Philippe ne s'était pas soudainement écrié avec inquiétude:

— Sacrement, ils viennent droit sur nous!

À la manière d'une coulée de lave ne rencontrant aucun obstacle sur son passage, le troupeau descendait effectivement dans notre direction. Philippe a mis la clé dans le contact, mais déjà les caribous de tête nous atteignaient, si bien qu'il n'était plus possible de faire marche arrière sans risquer d'emboutir l'un de ces gigantesques quadrupèdes. Prisonniers de notre véhicule et de son fragile habitacle, nous sommes donc demeurés immobiles à espérer que cette masse compacte et implacable nous épargne. Contre toute attente, à vingt mètres de distance, le gros du troupeau s'est ouvert en deux pour nous contourner et continuer son chemin. Je ne crois pas qu'une seule bête se soit arrêtée pour nous observer et chercher à comprendre ce que nous faisions là. Nous aurions pu être des chasseurs armés jusqu'aux dents que cela n'aurait rien changé. Les caribous avançaient lentement, d'un pas presque las, indifférents au

monde extérieur qui cachait pourtant d'innombrables prédateurs.

Contrairement à eux, nous étions submergés par l'émotion.
C'était comme si les restes d'un instinct perdu, peut-être celui
du chasseur s'apprêtant à succomber à l'ivresse de la chasse,
ressurgissaient des tréfonds d'une mémoire apparemment
disparue. Hypnotisé, j'étais attentif au moindre mouvement,
au moindre galop. Philippe et Julie ne parlaient plus, ne se
touchaient plus. Ils s'abreuvaient à même cette source que rien
ne semblait vouloir tarir. Trois-Rivières fut le seul à s'exprimer:

— Si seulement mon fils pouvait voir ça!

J'ai cherché à le consoler.

— T'as juste à l'appeler ce soir pour tout lui raconter!

Il m'a regardé gentiment, mais ses yeux mentaient comme
un arracheur de dents. Je n'ai rien ajouté, parce que je n'avais
pas les mots pour dire ce genre de chose. Embarrassé de me
savoir aussi maladroit, je suis retourné au spectacle des caribous
qui n'en finissaient toujours pas de labourer le sol de la toundra
de leurs gros sabots. Pendant un bref instant, j'ai même cru que
nous allions être emportés par cette interminable coulée, mais
une ouverture est finalement apparue devant nous. Philippe a
enfoncé la pédale d'accélérateur pour ne pas rater sa chance.
Effrayés, les caribous se sont mis à bondir autour de nous de
peur de se retrouver coincés sous les roues de notre camionnette. Cette éventualité ne semblait pourtant pas inquiéter
Philippe, qui s'amusait follement.

— C'est mieux que le Grand Prix de Formule 1!

Mon opinion à moi était tout autre, car je commençais à
avoir le mal des transports et je me voyais déjà vomir mes tripes
entre mes jambes. Je l'aurais sans doute fait si Philippe n'avait
pas brusquement freiné. J'ai d'abord cru que nous venions de
frapper un animal, mais ce n'était pas le cas. Devant nous, tout

un trafic s'était installé: des quatre-roues, des jeeps, des hommes portant un fusil en bandoulière et des vieillards entourés de leurs petits-enfants marchant main dans la main. C'était comme si tout le village s'était vidé d'un seul coup dans la toundra. Julie, qui s'amusait maintenant à tracer avec son index des dessins imaginaires dans la paume de Philippe, s'est retournée vers nous en souriant:

— La chasse va commencer!

À partir de ce moment, les déflagrations se sont mises à rythmer les heures du jour et de la nuit, si bien que je n'osais presque plus me rendre à la station de pompage pour pêcher après le travail, car les caribous traversaient le gué à cet endroit et les chasseurs y étaient nombreux. Un soir pourtant, alors que je m'amusais en compagnie de Philippe à dénombrer les carcasses dépecées de caribous qui brûlaient sous le soleil de minuit, nous sommes tombés sur un vieil Inuit coiffé d'une casquette arborant le logo d'une marque de bière connue. Philippe m'a soupiré à l'oreille:

— C'est le vieux Tulugaq.

Je ne l'avais jamais vu ou alors je l'avais croisé sans le remarquer. La peau de son visage était tannée comme un vieux cuir et ses sourcils épais retombaient légèrement sur ses paupières plissées par les années. Armé d'un couteau dont le manche en bois était joliment sculpté, il s'apprêtait à dépecer un grand mâle qu'une balle avait atteint entre les deux yeux. Il a d'abord ouvert le ventre de l'animal avant de retirer les viscères, qui gonflaient sur le sol humide. Il s'est ensuite attaqué à la viande et aux abats. L'âcre odeur du sang se répandait tranquillement autour de nous et des nuées de mouches se sont rapidement mises à tourbillonner au-dessus de nos têtes. J'essayais de les chasser en faisant de grands gestes de moulin à vent, mais mon agitation ne faisait qu'accroître le bourdonnement incessant que produisaient leurs ailes transparentes. À la fin, il ne restait plus sur le sol rougi par le sang que les bois, le crâne, les os et le chapelet des intestins. Tout le reste était empilé pêle-mêle sur une bâche bleutée. Le vieux Tulugaq m'a fait signe de m'approcher. À force de simagrées, j'ai compris qu'il voulait m'offrir de la viande. J'ai fait un signe de la tête en disant:

— *Aa.*

Le vieil Inuit a saisi un morceau particulièrement sanguinolent qu'il a déposé dans mes mains grandes ouvertes. Je sentais le sang encore chaud dégouliner entre mes doigts et remonter le long de mes avant-bras en formant des rivières écarlates. Il m'a regardé en souriant:

— *Atiilu*[43]?

— *Auka.*

À dire vrai, je me sentais tout à fait ridicule avec ce gros morceau de viande dans les mains et cet aïeul tout droit sorti de la préhistoire qui se tenait planté debout devant moi. Le vieux Tulugaq, lui, ne semblait pas réaliser le caractère relativement comique de la situation. Au contraire, il arborait un sourire satisfait, presque arrogant. Je crois qu'en me remettant cette viande, à moi un *Qallunaaq*, il retrouvait sa place dans un monde qui n'avait pas su l'attendre. Le fait d'être chasseur, même au Nunavik, ne représentait plus exactement un rôle social de premier plan. Les hommes ne suivaient plus les troupeaux et les femmes ne se mariaient plus pour éviter de mourir de faim. La nourriture était maintenant livrée par avion et son prix, contrôlé par les subventions gouvernementales. Par conséquent, les hommes peinaient à se trouver une nouvelle fonction sociale, contrairement aux femmes qui pouvaient toujours se rabattre sur la maternité. Enfin, nous avons finalement quitté le vieil

---

43 Encore?

homme en le remerciant et nous sommes retournés au Staff House. J'ai rapidement remis la viande à Christian, qui parlait au salon avec David.

— Tiens, t'as de quoi nous cuisiner un autre ragoût!

Il a paru surpris.

— Tu chasses?

— Non, ça vient du vieux Tulugaq. D'ailleurs, je me demande bien pourquoi il m'a fait un tel cadeau.

— Normal, les Inuits partagent toujours tout. C'est une manière de se rappeler que le gibier n'appartient à personne.

Le lendemain soir, lorsque je suis revenu au Staff House, tout le monde m'attendait impatiemment autour de la table à manger. Déposé sur une planche en bois, un plat de service en terre cuite laissait s'échapper une petite fumée blanche qui embaumait les aromates. Christian m'a rapidement fait signe de m'asseoir.

— Il ne manquait que toi!

Je me suis assis à côté de Maurice.

— Alors, comment ça va au dispensaire?

Il a esquissé un petit sourire.

— Je ne peux pas me plaindre. Depuis que le troupeau est arrivé, ma clinique est vide. Malheureusement, ça ne durera pas. Dès que les caribous seront partis, les Inuits vont revenir au village et tout va recommencer, je veux dire l'ennui et tout ce que ça présuppose.

Maurice ne semblait pas être le seul à profiter de cette accalmie relative. Le Minotaure paraissait plus détendu qu'à l'habitude. Les cernes épais qui masquaient habituellement ses yeux avaient disparu sans laisser de trace. En le voyant entamer sa deuxième assiette, je lui ai demandé s'il travaillait encore beaucoup. Il s'est essuyé la bouche avec la manche de sa chemise avant de me lancer, comme une boutade:

—— *All quiet on the western front.*

Même si je n'étais pas très doué en anglais, j'avais compris à quoi il faisait référence. Du temps de mes études collégiales, j'adorais lire, surtout des romans historiques et de la belle littérature française pour impressionner les filles. J'aurais peut-être même continué à étudier jusqu'à l'université, pour devenir professeur, si mon père ne s'était pas chargé de me faire changer d'avis en me poussant à quitter le nid familial. Par contre, je me demandais souvent pourquoi le Minotaure s'entêtait à nous parler dans la langue de Shakespeare alors qu'il s'exprimait parfaitement en français. C'était peut-être sa manière à lui de se réfugier en lieu sûr, comme les Inuits avec l'inuktitut.

Christian, qui nous écoutait poliment depuis un bon moment, attendait vraisemblablement nos commentaires sur son mijoté. Julie s'est chargée de le féliciter.

—— Christian, c'est vraiment délicieux.

Le jeune pilote a néanmoins fait mine d'être déçu.

—— Non, la viande est trop dure.

Le Minotaure l'a regardé en se léchant les doigts.

—— *Don't worry, it's always like that with game meat.*

Je m'attendais à ce que Philippe intervienne également, mais il s'est bien gardé le moindre commentaire. Il devait voir clair dans le petit jeu de Christian qui prenait un air exagérément consterné afin de se faire rassurer sur ses talents de cuisinier. Moi non plus, je n'avais pas envie d'entrer dans la danse. En vérité, une seule chose m'importait: je voulais savoir si Philippe avait eu des nouvelles de Peter Nutaraluk. Après m'avoir fait languir un court instant sur ma chaise, il m'a dit:

—— Je l'ai vu aujourd'hui.

—— Alors?

—— Il m'a dit qu'il serait prêt dans une semaine.

Après tous ces contretemps, j'avais de la difficulté à croire que l'expédition de pêche de mes rêves aurait bel et bien lieu. Je n'étais pas le seul à être étonné. Maurice, Julie et Christian nous regardaient, Philippe et moi, avec jalousie.

— En cinq ans de dépannage au nord, c'est la première fois que je vois un Inuit accepter d'emmener des *Qallunaat* pêcher à l'intérieur des terres.

Julie a nuancé les propos de Maurice.

— Non, l'année dernière, le vieux Tulugaq a emmené un professeur à Kugaaluq[44].

Le médecin a paru agacé.

— Peut-être, mais ça n'arrive pas souvent!

Il ne faisait aucun doute à mes yeux que l'énervement de Maurice trahissait son désir de nous accompagner à la pêche. Personnellement, je n'y voyais pas d'inconvénient, surtout que je m'entendais plutôt bien avec lui. Cela ne semblait pas non plus ennuyer Philippe, qui n'a pas tardé à lancer l'invitation générale. Tous se sont réjouis, à l'exception du Minotaure.

— Tu ne veux pas venir?

Il a posé sur moi un regard attristé.

— *I can't leave for that long.*

Le Minotaure était attaché à ce village comme un chien à sa chaîne. Je le plaignais de ne pas pouvoir le quitter, ne serait-ce que pour une seule journée. Pourtant, rien ne le forçait à rester ici et les examinateurs de la Gendarmerie Royale du Canada n'avaient sûrement pas besoin d'un tel forçat dans ses rangs. Il aurait pu retourner chez lui, à Sudbury, et déposer une bonne fois pour toutes sa candidature auprès des autorités compétentes afin de réaliser son rêve de jeunesse. Son cœur en avait décidé autrement et il s'était arrêté ici, sans raison évidente, comme ces animaux solitaires qui errent des années durant sur des

---

44 Grande rivière (sous-entendant «où il y a du poisson»).

territoires inhospitaliers avant de s'établir quelque part pour vieillir et mourir en paix.

Une fois le repas terminé, Christian a proposé d'aller faire un feu sur le bord de la grève pour célébrer la confirmation de cette expédition de pêche que j'attendais depuis si longtemps. Nous nous sommes levés et habillés rapidement. Dehors, le soleil suivait une course incertaine. On le voyait plonger vers la ligne d'horizon puis remonter dans le ciel orangé. Quelques étoiles réussissaient à percer ce demi-jour et la lune dans son premier quartier cherchait à prendre sa place dans le firmament. Sur la grève, les vagues s'abattaient sur les galets en abandonnant des parfums de haute mer. Christian, qui était allé un peu plus tôt au dépotoir municipal pour trouver du bois, roulait des boules de papier journal. Une allumette a suffi pour tout embraser et des flammèches se sont rapidement mises à crépiter. Dans la toundra, les déflagrations continuaient à retentir comme des coups de tonnerre. C'était comme si cette journée ne voulait pas mourir et qu'elle cherchait à vivre au-delà des vingt-quatre heures qui lui étaient consenties.

Assis sur une caisse vide, Philippe et Julie se tenaient par la main. Mes prédictions s'étaient révélées fausses: mon ami ne s'était pas réfugié dans les bras d'une autre femme. J'étais le premier surpris, mais Philippe avait peut-être réalisé que son avion ne pouvait pas le soustraire indéfiniment à la terre des hommes. Il fallait bien qu'il se pose un jour et qu'il apprenne à marcher. À force de les regarder, le beau visage de Sophie m'est revenu en mémoire. Même après toutes ces années, la douleur de son souvenir demeurait lancinante, un peu comme le tiraillement d'un membre fantôme. Malheureusement, je n'avais nulle part où aller: ma vieille Chevrolet s'empoussiérait dans mon garage, et dans la toundra un loup rôdait. Désarmé, j'ai cherché à remplacer ce souvenir par celui de Caroline. Au lieu de l'imaginer remplissant des verres comme un fossoyeur une fosse commune, je l'ai déshabillée mentalement de haut en bas, en prenant grand soin de m'attarder à chacun des détails de son corps. Arrivé à ses sous-vêtements, ma douleur avait disparu pour laisser place à une excitation sexuelle qu'il m'était impossible d'étancher ici. En vérité, je n'avais pas fait l'amour depuis plusieurs mois et cette abstinence commençait à peser sur mes nerfs. En temps normal, je me serais justement débrouillé pour voir Caroline en acceptant un nouveau contrat à la Baie-James, mais cette option était évidemment hors de question. D'ailleurs, elle m'avait probablement remplacé par une autre âme en peine comme il en circule des milliers sur le bord des autoroutes. Peu importe, en cet instant précis, je me plaisais à croire que quelqu'un, quelque part, m'attendait.

Attiré par la fumée et nos rires, un petit groupe d'enfants a fait son apparition. J'ai tout de suite reconnu Nelly, la fille de Martha. Ses grands yeux noirs luisaient joliment derrière le rideau des flammes vacillantes. Ils ressemblaient à des lampions d'église propageant la lumière de prières passées. À ses côtés se tenait ce même chien noir au pelage fourni que j'avais déjà vu auprès de Martha. Il nous observait, le corps aux aguets, les oreilles bien tendues.

J'ai fait signe à Nelly de s'approcher. Le chien a aussitôt levé la tête en grognant. Nelly lui a lancé une petite pierre pour le faire taire et il s'est recouché sans pour autant me quitter des yeux. Je sentais qu'il craignait pour la sécurité de Nelly, mais cette dernière ne partageait pas l'inquiétude de son gardien puisqu'elle s'est rapidement blottie sous mon bras en riant. Je n'ai pas aimé le contact de son petit corps contre le mien. C'était trop intime et je ne savais pas m'y prendre avec les enfants. J'allais d'ailleurs la dégager lorsqu'elle s'est écriée:

— *Takugit*[45] !

Au bout de son petit doigt tanguait la silhouette lointaine d'un navire. Nous l'avons regardé avancer lentement sur les eaux jusqu'à ce qu'il jette l'ancre au milieu de la baie. C'était un bâtiment massif, avec une coque à vous enfoncer la Grande Muraille de Chine. Sur le pont, on pouvait voir des matelots s'affairer comme de petites fourmis. Philippe, à qui j'avais souvent parlé de Thibault, s'est exclamé:

— Jacques, c'est ton contremaître qui va être content!

— Tu parles, il va en crever de joie!

Je n'avais pas tort. Le lendemain matin, sur le chantier, Thibault y allait maintenant des plus folles prédictions:

— Maintenant, c'est certain, on va avoir tout terminé pour début décembre!

On ne demandait tous qu'à le croire, mais plusieurs travailleurs doutaient de cet optimisme débordant. Trois-Rivières était d'ailleurs le plus pessimiste.

— Moi, je vais y croire quand j'aurai mon cul posé dans l'avion pis que l'hôtesse m'aura servi un verre de rouge!

J'ai voulu me faire encourageant.

— Je sais qu'il faut pas vendre la peau de l'ours avant de l'avoir tué, mais y'a plus rien pour nous empêcher de terminer l'école maintenant.

— Jacques, tu le sais comme moi: un chantier, ça réserve toujours des surprises, surtout ici. Suffit d'un plan mal fait ou d'un oubli pour que tout soit à recommencer!

Il avait peut-être raison, mais je ne voulais pas l'entendre. J'ai plutôt profité de l'euphorie générale pour demander à Thibault la permission de prendre une journée de congé à mes frais. Je suis allé le trouver dans sa roulotte de commandement.

---

45 Regarde!

Penché au-dessus de son bureau, il fumait une cigarette en examinant des plans d'architecture. J'ai toussé et il a levé la tête en prenant un air ennuyé.

— Qu'est-ce que tu veux, Jacques?

L'arrivée du bateau ne l'avait peut-être pas transformé autant que je le croyais car sa voix était tranchante et désagréable. Pendant un bref instant, j'ai pensé me retirer de son bureau sans lui faire part de ma demande, mais je me suis ressaisi. Pour le convaincre de me laisser partir une journée, je lui ai rappelé que, contrairement aux autres travailleurs sur le chantier, je ne n'avais jamais pris mes samedis ni mes dimanches de congé, ce qui était contraire à notre convention collective. Mes arguments n'ont pas semblé l'émouvoir. Je m'apprêtais donc à défendre mon point avec plus de conviction lorsqu'il a sifflé méchamment entre ses dents:

— Tu peux prendre ta journée quand tu veux, mais va surtout pas t'en vanter!

Encore une fois, Thibault se trompait sur mon compte. Je n'avais pas l'intention d'aller me pavaner devant quiconque; bien au contraire, je ne voulais pas ébruiter la nouvelle sur le chantier. Plusieurs de mes collègues étaient également passionnés de pêche et je suis certain qu'ils auraient vendu père et mère en échange d'une place à nos côtés. Malheureusement pour eux, je préférais la compagnie de mes amis à la leur. Je me suis donc réfugié sans dire un mot derrière la flamme de chauffe de mon chalumeau et j'ai attendu que dix-neuf heures sonnent. Ma journée terminée, je me suis précipité au Staff House pour annoncer la bonne nouvelle à Philippe. J'ai trouvé mon ami au salon, une bouteille de rhum blanc posé devant lui comme un défi à relever. Inquiet, je me suis approché tranquillement.

— Ça va?

Il a lentement tourné la tête dans ma direction.

— Oui, et toi?

Ses yeux et sa voix trahissaient un état d'ébriété avancé. À tout hasard, je lui ai demandé:

— C'est Julie?

— Non, c'est Joanassie.

Je ne m'attendais pas à cette réponse.

— Qu'est-ce qu'il encore a fait?

— Il est revenu au village ce matin.

— Ça se peut pas, il a pas fait trois mois de prison!

Philippe a éclaté d'un petit rire sarcastique avant de me passer la bouteille d'alcool. Alors que je me servais généreusement, il m'a mis en garde.

— Attention, pas plus d'un doigt, sinon la tête va t'éclater comme une grenade!

Je ne l'ai pas écouté et j'ai rempli mon verre à ras bord. Même si je ne connaissais pas Joanassie personnellement, je n'arrivais pas à croire que cet homme puisse déjà être de retour au village, surtout en considérant ce qu'il avait fait à Martha et ce qu'il risquait encore de lui faire si la folie lui reprenait la tête comme un coup de chaleur. J'ai dû attendre une conversation ultérieure avec le Minotaure pour tout comprendre. La nuit de l'agression, le gros policier s'était rendu au chevet de Martha pour prendre sa déposition. Quelques heures plus tard, il téléphonait à un procureur de la couronne en Abitibi. Celui-ci, un jeune novice tout frais émoulu de l'école de droit qui croyait encore au bien et au mal, s'était objecté à la remise en liberté de Joanassie. Transféré dans les jours suivants au pénitencier de Saint-Jérôme, on avait ensuite conduit le mari de Martha devant un juge de paix magistrat à Amos. Considérant les risques pour la sécurité publique et la société en général, ce dernier s'était également objecté à sa remise en liberté avant procès. Deux mois plus tard, Joanassie comparaissait finalement devant le juge chargé de juger cette affaire. L'homme de loi s'était rapidement retranché derrière la jurisprudence. Compte tenu de la surreprésentation des autochtones en milieu carcéral et de la réalité sociohistorique de ces derniers, il avait condamné Joanassie à trois mois de prison. Or, comme le temps purgé en attendant procès comptait également, le condamné s'était retrouvé libre comme l'air après seulement un mois d'emprisonnement. Selon le Minotaure, le juge avait justifié sa sentence en soulignant qu'il valait mieux réinsérer Joanassie dans sa communauté afin qu'il assume les conséquences de ses actes en affrontant le regard de sa victime. Une décision que le gros policier avait commenté en ces termes:

— *That's a bunch of crap!*

Évidemment, je n'avais pas encore tous ces détails en ma possession et le discours éthylique de Philippe ne m'aidait pas davantage à comprendre ce qui le mettait dans un tel état. En fait, sa réaction me surprenait, lui qui se faisait si souvent le chantre du sarcasme et du cynisme. Ce soir pourtant, il lançait ses idées devant lui comme un naufragé des bouteilles à la mer; quelques lignes confuses pour témoigner d'un monde en naufrage.

— McIntosh n'a pas tort: le Nunavik, c'est la plus belle prison du monde. Pas de clôture pour te garder prisonnier et pas de chemin pour t'aider à t'évader. Juste la toundra et son silence pour te rendre fou. Au fond, le manque d'espoir, ça vaut toutes les chaînes du monde!

Moins éméché que lui, je l'écoutais sans chercher à le contredire. Le pauvre, il se vidait comme un abcès trop mûr tandis que son corps s'effondrait sur lui-même en adoptant une position grotesque au fond du divan. Pendant une fraction de seconde, j'ai cru entrevoir le visage de mon père. Une image furtive qui semblait sortie tout droit d'un mauvais rêve. Tout y était: les propos irréfléchis, les mouvements maladroits et cette insupportable haleine qui me harponnait de plein fouet. J'ai pensé l'abandonner là, entre le jour et la nuit, en sachant que l'aube le recueillerait d'ici peu, mais je suis finalement resté à ses côtés jusqu'à ce qu'alcool l'abrutisse complètement. Avant de sombrer pour de bon, il a levé une dernière fois les yeux vers moi.

— Jacques, je t'avais prévenu. Ici, pour les *Qallunaat*, c'est l'amour ou la haine: pas autre chose!

CHAPITRE TREIZE

L'amour ou la haine? Toute la nuit, cette question m'avait empêché de fermer l'œil. L'amour? Je n'en savais que ses déceptions et ses déchirements. Par contre, la haine, je la connaissais personnellement. Il me suffisait d'ailleurs de penser à mes parents pour ressentir un tel sentiment. Encore aujourd'hui, je me surprenais à les détester, surtout lorsque je repensais à leurs non-dits et à ce silence dont ils s'étaient si longtemps servis non seulement pour se protéger d'eux-mêmes, mais également pour lancer d'insidieuses attaques contre l'autre. Certains disent que la parole est d'argent et que le silence est d'or. Pour ma part, j'ai compris très tôt que le silence tue aussi bien que la lame d'un couteau. Il suffit seulement de savoir le manier.

Je me suis levé vers cinq heures du matin avec un mal de tête effroyable. J'ai pris deux comprimés d'aspirine et un grand café noir. Dehors, le soleil éclairait la terre comme à midi. Même si le village dormait encore, je savais que dans quelques heures, le sol de la toundra se trouverait à nouveau rougi par le sang répandu des bêtes abattues. Habités par l'esprit de la chasse, les Inuits oublieraient pour un instant ce village et sa misère. Maurice disait pourtant vrai. Dans moins d'une semaine, le troupeau aurait passé son chemin et les chasseurs se retrouveraient confrontés à la promiscuité et à l'ennui, deux dangereuses conditions qui menaient inévitablement aux pires violences.

Pour la première fois depuis longtemps, Martha ne m'attendait pas à califourchon sur son quatre-roues. Sans doute dormait-elle encore ou alors elle avait succombé à l'appel des caribous comme la majorité des Inuits travaillant sur le chantier. Au milieu de la baie, le bateau de livraison tanguait mollement. Sur le pont, les hommes d'équipage s'activaient autour des conteneurs. Le vent du large colportait quant à lui des aboiements désespérés. Je me demandais si les chiens affamés de Tamussi avaient commencé à se retourner les uns contre les autres et si cette sélection naturelle lui fournirait un animal de flèche pour son attelage? Je l'ignorais, mais la réponse viendrait en temps et lieu.

Lentement, les travailleurs ont commencé à affluer autour de moi. Ils portaient tous dans leurs yeux le jaune du mauvais sommeil et sur leur peau le gris des animaux gardés trop longtemps en cage. Trois-Rivières ne faisait pas exception à la règle. Il grelottait de fatigue.

— Mal dormi?

Il a émis un long bâillement.

— J'ai pas fermé l'œil de la nuit. Y'a trop de lumière et pas assez de noirceur ici!

J'allais lui répondre qu'il n'avait qu'à regarder autour de lui, que pour se confectionner une nuit assez dense pour l'envelopper jusqu'à l'aurore, il lui suffisait de tendre les bras et prendre ce qui lui tombait sous la main. J'ai alors aperçu Martha qui remontait la rue principale au bras de Joanassie. Je me suis frotté les yeux mais je n'avais pas la berlue. L'agressée et l'agresseur marchaient main dans la main comme des amoureux. Arrivée à notre hauteur, Martha ne s'est pas arrêtée pour nous présenter son mari. Elle a plutôt continué son chemin sans se retourner pour nous saluer, Trois-Rivières et moi. Par contre, Joanassie se pavanait en ne demandant qu'à être vu. C'était sans doute sa manière à lui de reprendre sa place dans le village et d'affirmer sa mainmise sur Martha devant les hommes qu'elle côtoyait quotidiennement. Arrivée devant l'entrée principale, Martha s'est contentée d'embrasser son mari sur la joue avant de disparaître à l'intérieur du chantier. Joanassie a tourné sur lui-même quelques secondes avant de se diriger droit sur moi en portant sa main à sa bouche pour me faire comprendre qu'il voulait une cigarette. J'ai sorti mon paquet sans réfléchir et je le lui ai tendu. Il n'avait pas de feu non plus. En bon samaritain, je lui ai également prêté mon briquet. Après avoir tiré une longue bouffée, il a fixé mon regard.

— *Nakurmik!*

En mon for intérieur, je rageais de me montrer si généreux avec lui. En fait, j'aurais dû lui mentir en prétendant que mon paquet était vide et que la flamme de mon briquet était morte. Malheureusement, ce n'était pas dans ma nature de mener des guerres ouvertes, notamment dans une situation où mon rôle n'était pas clairement défini. Après tout, ce n'était pas à moi de protéger Martha ni de punir Joanassie pour ses crimes. Ce rôle incombait au Minotaure et aux institutions qu'il représentait. Et puis, si Martha se présentait ce matin à son bras, il devait y avoir une bonne raison. Du moins, c'est ce dont je voulais me convaincre.

Immobile, Joanassie m'observait toujours. On lui avait peut-être parlé de moi et de tous ces matins où je fumais une ciga-rette en compagnie de Martha. Ce n'était pas impossible, surtout dans un village où chacun se connaissait depuis l'en-fance et où rien ne pouvait être tenu secret, sinon dans le silence des cœurs. Mon hypothèse s'est rapidement vue confirmée.

— Tu es l'ami de Philippe?

— Oui, je m'appelle Jacques.

Joanassie a fait quelques cercles de fumée.

— Ton nom, je vais l'apprendre si tu restes ici assez long-temps. Autrement, ça vaut pas la peine. Les *Qallunaat*, vous venez faire votre argent puis vous partez sans jamais revenir!

Il a ensuite pointé en direction de la toundra.

— Es-tu allé pêcher?

— Seulement près de la station de pompage.

Il a soupiré.

— Ce n'est pas un bon endroit. Par contre, je pourrais t'emmener plus loin, à Kugaaluk, là où il y a beaucoup de poissons.

— C'est gentil, mais Philippe a déjà organisé quelque chose.

— Il a trouvé un guide?

— Il faudrait lui demander.

J'étais décidément lâche, mais je ne voulais pas annoncer de mon propre chef à Joanassie que Peter Nutaraluq avait pris sa place pour l'expédition. Étrangement, il n'a pas paru ennuyé.

— *Ajurnamat*[46]!

La désinvolture dont faisait preuve Joanassie me déroutait. À sa place, je me serais fait minuscule, tout petit, presque invisible, car il devait bien se douter que je connaissais les raisons de sa condamnation et de son emprisonnement. Indifférent, il continuait pourtant à tourner autour de moi en émettant à intervalles réguliers des ronds de fumée que le vent se chargeait de dissiper en quelques secondes. Perdu dans mes pensées, je me demandais si cet homme connaissait le sens du mot «remords» ou si son âme s'apparentait à celle de ces grands criminels incapables de ressentir la moindre compassion pour leur victime.

Trois-Rivières, que j'avais complètement oublié, m'a tapé sur l'épaule pour me faire comprendre qu'il était temps de rentrer travailler. Sur le chantier, Thibault avait repris l'air qu'on lui connaissait depuis toujours. Il n'arrêtait pas de venir nous voir, pour nous encourager à travailler plus vite, sans reprendre notre souffle, comme de véritables galériens condamnés à leurs chaînes. Il talonnait particulièrement Martha, qui semblait éprouver de la difficulté à tenir son rôle d'interprète. Le retour de Joanassie y était sûrement pour quelque chose. Mais si je la plaignais sincèrement, je me surprenais également à la détester

---

46 Tant pis!

pour sa docilité. En effet, comment avait-elle pu déposer ce baiser froid comme la mort sur la joue de son mari alors qu'elle m'avait assuré ne plus vouloir entendre parler de lui? Je n'y comprenais rien et je me sentais soudainement ridicule d'avoir ressenti autant de bienveillance à son endroit. Ma réaction était sans doute exagérée, mais je savais qu'à partir de maintenant, j'allais devoir partager ma colère entre le bourreau et sa victime, une position difficilement tenable.

Vers midi, je suis sorti fumer une cigarette avec Trois-Rivières. Après avoir parlé de Thibault un court moment, il a dit au sujet de Martha:

— Elle a l'air bien nerveuse aujourd'hui.

— Son mari est revenu au village.

— L'homme à qui tu parlais ce matin?

— Oui.

Trois-Rivières n'a rien ajouté. Après tout ce temps passé au Nunavik, il avait dû apprendre à se taire, pour économiser les mots, surtout ceux qui ne servent à rien. Le soir venu, j'ai pris le chemin du Staff House. Au dédale des rues graveleuses, je suis tombé sur le vieux Tulugaq. Assis en indien sur une peau de caribou, il sculptait un morceau de pierre à savon. Dans la matière encore brute, on commençait à voir apparaître les traits indistincts d'un visage. Je l'ai observé silencieusement pendant au moins un quart d'heure avant de reprendre mon chemin en saluant le vieil homme au passage. Lorsque je suis arrivé au Staff House, Philippe était seul. J'ai d'abord pensé revenir sur la soirée d'hier, mais une question plus importante me brûlait les lèvres:

— Christian n'est pas là? Je meurs de faim!

— Pas de chance mon vieux, il est quelque part au-dessus de la baie d'Hudson!

Mon estomac était déçu, mais Philippe a su trouver les mots pour le remplir.

— Au fait, Peter Nutaraluq m'a dit de te préparer: il veut partir dimanche prochain.

Nous étions mercredi. Plus que quelques jours d'attente avant de prendre le large et de tenter ma chance avec mes leurres argentés. Même s'il n'éprouvait pas une passion particulière pour la pêche, Philippe semblait également impatient de partir à l'aventure. Nous étions donc à nous laisser gagner par la promesse de ce jour à venir lorsque Julie est arrivée à son tour au Staff House. Elle revenait d'une évacuation médicale et paraissait épuisée par ces heures passées en plein vol au chevet d'un enfant qui s'était fait happer par un quatre-roues et dont l'un des fémurs avait brisé net au moment de l'impact. Philippe s'est approché pour l'embrasser, mais la belle infirmière a eu un mouvement de recul.

— Ça va pas?

Elle a hésité un instant avant de demander à voix basse:

— Vous deviez pas partir à la pêche avec Peter Nutaraluq bientôt?

Philippe a paru soucieux.

— Oui, pourquoi?

— Il s'est profondément entaillé la main à la chasse cet après-midi. Un drôle d'accident. Enfin, Maurice veut l'envoyer à Montréal pour qu'il soit vu par un spécialiste.

Le visage de Philippe s'est décomposé d'un seul coup. C'était comme si on venait de lui siphonner tout le sang contenu dans ses joues trop creuses. De mon côté, il m'a fallu un certain temps pour réaliser la pleine portée de cette nouvelle. En fait, je n'en revenais tout simplement pas de notre malchance et je commençais à croire qu'une force supérieure s'évertuait à nous retenir au village. Heureusement, il me restait encore une carte à jouer pour faire échec au destin.

— Demain, j'irai voir Tamussi en personne, pour lui demander de nous servir de guide.

Philippe ne s'est pas objecté, cette fois. Au contraire, il m'a dit:

— Tu ferais mieux d'y aller maintenant si tu veux qu'on parte un jour!

J'ai suivi son conseil et je suis sorti aussitôt. Tamussi était peut-être du côté de la grève, à charger son canot avec de la viande pour ses chiens, dont les jappements se répandaient toujours sur la baie. Chemin faisant, je suis passé devant sa maison, mais personne n'était en vue sinon le profil sévère du guerrier mohawk sur son éclaté jaune. Je m'apprêtais à continuer ma route lorsque quelqu'un a crié mon nom. Je me suis retourné pour apercevoir Joanassie qui descendait par une rue transversale en compagnie de Martha. Nelly et un petit garçon que je n'avais jamais vu jusqu'à présent se tenaient un peu à l'écart de leurs parents. Je ne me souviens plus les avoir salués. Je crois même leur avoir directement demandé s'ils savaient où se trouvait Tamussi. Son père s'est retourné pour faire face à la toundra.

— Il chasse près de la station de pompage.

Il a ensuite ajouté en me regardant droit dans les yeux:

— Peter Nutaraluq s'est blessé aujourd'hui. Il ne pourra pas vous guider. Comment allez-vous faire dans la toundra?

Même si ce village était petit, pour ne pas dire minuscule, je me demandais comment Joanassie s'était débrouillé pour découvrir l'identité de notre nouveau guide. Je trouvais également curieux qu'il soit déjà au fait de sa blessure, alors que l'incident de chasse venait à peine d'arriver selon Julie. J'aurais voulu y réfléchir davantage mais le mari ne Martha ne m'en a pas laissé le temps.

— Si tu veux, je peux t'emmener dans la toundra avec Philippe. Je connais un endroit merveilleux pour la pêche, mais c'est très loin d'ici.

Même si je rêvais de cette expédition depuis longtemps, je me voyais mal accepter son offre, ayant encore en mémoire ce qu'il avait fait subir à sa femme. Par contre, comment pouvais-je décliner sa proposition alors que je m'apprêtais à demander à son fils de prendre sa place? Cela ne faisait aucun sens. Pris de court, je cherchais désespérément une manière de me défiler sans avoir à dévoiler les véritables raisons de mon refus, mais tout s'entremêlait dans ma tête: la chorale des aboiements se répandant sur la baie, l'écho des déflagrations retentissant dans la toundra, le rire de Nelly s'amusant avec son petit frère et cette main tendue devant moi comme un pacte à signer avec le diable. J'en étais presque à renoncer à cette expédition de pêche lorsque Martha s'est chargée de m'assener le coup de grâce.

— Tu devrais accepter l'offre de Joanassie. C'est un très bon guide, le meilleur de tout le village!

Son regard était insistant, presque suppliant. Craignait-elle la réaction de Joanassie si je le contrariais, ou alors cherchait-elle une manière de l'éloigner du village pour quelques heures? Cette dernière possibilité me plaisait particulièrement, car je devenais pour ainsi dire le protecteur de Martha. Je ne la trahissais pas; au contraire, je la soustrayais à la violence de son mari. J'ai encore hésité quelques secondes avant d'offrir à Joanassie ce petit mot composé par trois lettres insignifiantes mais ouvrant pourtant d'innombrables possibilités. Finalement, j'ai dit oui.

CHAPITRE QUATORZE

Après avoir serré la main de Joanassie pour sceller notre entente, je suis directement retourné à mon transit sans prendre le temps de fumer une seule cigarette. Je devais réfléchir à la manière d'annoncer la nouvelle à Philippe. Comment pouvais-je lui expliquer que, parti recruter Tamussi, je revenais en compagnie de son père? Mon cher ami avait beau jouer la carte de l'indifférence, je savais qu'il n'aimerait pas se retrouver aux côtés d'un homme qui avait battu sa femme avec autant d'acharnement. Bien sûr, il avait lui-même demandé à Joanassie de nous servir de guide avant mon arrivée au Nunavik, mais je crois qu'il ne le savait pas capable d'une telle violence à ce moment. Julie s'était sans doute chargée de lui ouvrir les yeux en lui racontant ce qu'elle voyait jour après jour entre les murs du dispensaire. Enfin, le lendemain soir, lorsque j'ai retrouvé Philippe au Staff House, j'ai dû prendre mon courage à deux mains pour tout lui dire. Stupéfait, il a fixé le vide comme un sphinx assoupi sur son énigme. Je pensais qu'il allait me reprocher ma décision, mais ce ne fut pas le cas. Après avoir fait craquer ses doigts, il m'a demandé:

— Sais-tu quand il veut partir?

— À sept heures du matin dimanche prochain.

— Parfait pour moi.

Je connaissais assez Philippe pour savoir qu'il n'était pas complètement sincère. À contrecœur, je lui ai proposé de tout annuler. Il s'est alors emporté avec virulence.

— Jacques, ça va faire, calice! Joanassie ou un autre, qu'est-ce que ça change? De toute manière, c'est Martha qui a insisté. Elle avait sûrement une bonne raison pour le faire!

Il était évident que Philippe voulait mettre un terme à la conversation. Moi aussi, je ne demandais pas mieux que de tourner la page et d'arrêter toutes ces tergiversations qui nous pourrissaient la vie. Une décision venait d'être prise et il fallait maintenant en assumer les conséquences. Nous partirions avec Joanassie dimanche prochain, un point c'est tout. Malheureusement, Christian n'a pas fait preuve d'une telle ouverture d'esprit en apprenant la nouvelle plus tard dans la soirée.

— Si c'est Joanassie, moi je pars pas avec vous!

Philippe n'était pas d'humeur à supporter de tels enfantillages.

— Ciboire, tu vas m'arrêter ça!

— T'as pas entendu? Y'est pas question que je parte avec lui!

Malgré mon penchant pour la diplomatie, j'avais bien envie de rappeler à Christian sa théorie selon laquelle la violence était parfois la marque d'une certaine révolte ou d'un corps cherchant à s'opposer à son destin. Je me suis pourtant bien gardé de jeter de l'huile sur un feu qui crépitait déjà abondamment. Philippe n'avait pas non plus l'intention de jouer les incendiaires. Il s'est seulement permis ce dernier commentaire:

— Demain, t'auras changé d'idée!

Mais Christian n'a jamais changé d'idée: ni le lendemain, ni le surlendemain, ni jamais d'ailleurs. Il est demeuré fidèle à ses principes jusqu'au bout en faisant preuve d'une étonnante force de caractère. Au fond, il a eu le beau rôle, celui de pouvoir dire non alors qu'il n'avait pas vu Joanassie lui tendre la main et Martha le supplier des yeux. Je n'avais pas eu ce luxe. Au contraire, je m'étais retrouvé comme un soldat perdu entre les lignes d'un front battant au rythme des escarmouches et des armistices les plus vaines. Pouvait-on me reprocher de m'être ainsi retrouvé pris entre deux feux et d'avoir cherché à négocier mon passage vers l'arrière, bien loin de la violence des hommes et de leur folie? C'était difficile à dire, surtout ici, dans un endroit où l'on recommandait fortement aux *Qallunaat* de ne jamais s'interposer entre deux Inuits jouant des poings, un conseil que j'avais peut-être pris trop au sérieux.

Épuisé par cette journée mouvementée, j'ai quitté le Staff House vers minuit pour retrouver le territoire inhabité de mon lit. J'espérais m'endormir rapidement mais ce ne fut pas le cas. Je ne pouvais pas m'empêcher de ressasser les événements des derniers jours. Évidemment, j'étais heureux de partir à la pêche, mais cette joie était obscurcie par la présence de notre nouveau guide. Même si j'essayais de me convaincre du contraire, il n'en demeurait pas moins que je ressentais un malaise sincère lorsque je repensais à Martha. Était-il convenable d'accepter les services de son mari? La question était pertinente, mais les réponses, difficiles à trouver. Joanassie avait été condamné par un juge et il avait purgé sa peine comme il se doit à la prison de Saint-Jérôme. Aujourd'hui, il arpentait les rues du village en homme libre. À mes yeux pourtant, il était toujours coupable et je ne pouvais pas le regarder sans éprouver un vague dégoût. Par ailleurs, ce sentiment n'était peut-être pas non plus justifié, car le fait de stigmatiser cet homme et de lui refuser toute chance de se racheter en prouvant ses qualités ne favorisait en rien sa réhabilitation. Une petite voix dissidente cherchait également à se faire entendre au fond de ma conscience. Elle émettait l'hypothèse que si Joanassie violentait sa femme, ce n'était pas seulement parce qu'il suspectait celle-ci d'infidélité ou d'une autre forme d'affront, mais aussi parce que les véritables artisans de sa misère demeuraient hors d'atteinte quelque part au sud. Il devait donc se trouver un autre objet sur lequel déverser sa colère: Martha.

Vers trois heures du matin, découragé, je suis allé m'asseoir au salon et j'ai composé le numéro de Caroline. Quelques coups ont sonné avant qu'elle ne réponde. Sa voix était haletante, un peu comme si elle venait de terminer une longue séance d'entraînement. Je n'avais pas besoin d'explication pour comprendre le pourquoi de son essoufflement. Pour me punir davantage et goûter moi aussi à cette souffrance qui ne cessait de se déployer autour de moi, je me suis néanmoins obligé à lui poser cette question dont la réponse ne faisait pourtant aucun doute:

— T'es avec quelqu'un?

— Oui.

Je l'ai saluée une dernière fois avant de raccrocher, car je savais que je ne lui parlerais plus jamais. C'était impossible à présent. Trop de vérités s'étaient soudainement installées entre nous pour que nous puissions continuer à voyager sur la friabilité d'un lien qu'aucune promesse n'avait jamais su tenir. Elle s'était probablement excusée auprès de son nouvel amant en prétextant un faux numéro. Je devais maintenant traverser ma propre nuit en ne comptant plus que sur mon whisky et la botte du petit Palausie pour me tenir compagnie. Après avoir bu quelques verres pour m'assommer une bonne fois pour toutes, je me suis surpris à souhaiter que Joanassie ne se présente pas le jour convenu; de cette manière, nous en aurions fini de tous ces remords et de ces conversations où nos amitiés étaient souvent mises à mal. Mais le dimanche en question, notre guide nous attendait devant le Staff House à l'heure dite.

— Il faut partir maintenant, a-t-il dit d'un air pressé.

Nous l'avons tous suivi: Philippe, Julie, Maurice et moi. Il ne manquait que Christian. J'aurais aimé le voir à nos côtés; sa présence nous aurait procuré une légitimité dont nous avions tous besoin. J'avais par ailleurs offert à Trois-Rivières de prendre sa place, mais celui-ci ne pouvait se résoudre à perdre une journée de salaire. Arrivé au bord de la grève, j'ai été soulagé d'apercevoir Tamussi et Martha qui fumaient tranquillement. Derrière eux, deux canots n'attendaient que d'être mis à l'eau. Je me suis approché de Tamussi.

— Tu viens avec nous?

— *Aa.*

— Et ta mère?

— *Auka.*

La décision de Martha ne me surprenait pas. Elle allait sûrement profiter de l'absence de son mari pour errer en toute quiétude dans les rues du village. Mais Joanassie ne semblait pas préoccupé par sa femme ni par l'idée de la laisser derrière lui. Il s'affairait plutôt à vérifier notre matériel de pêche et à répartir les charges équitablement dans les canots. Encore quelques minutes de préparation et nous poussions enfin nos embarcations sur les eaux de la baie. Je me suis retourné pour saluer Martha, mais elle n'a pas répondu à ma petite main qui s'agitait dans l'espace. Elle est demeurée immobile, à faire ce qu'elle savait faire de mieux: disparaître pendant que d'autres continuaient leur chemin.

J'avais embarqué avec Philippe aux côtés de Joanassie, qui tenait la barre fermement. Son visage était haut dans le ciel. Notre canot, tout comme celui de Tamussi, bondissait sur les vagues en propulsant des étincelles d'eau dans les airs. Un peu partout, des pignons rocheux perçaient les eaux froides et grises. Parfois, un îlot marqué par un *inuksuk* indiquait un passage à emprunter. Plus loin, encastrée dans des écueils, c'était la carcasse d'une barque à moitié submergée qui déconseillait une ouverture apparemment sans danger. Philippe, qui était demeuré silencieux depuis notre départ, m'a tapé sur l'épaule.

— Regarde!

À cent mètres à tribord, prisonniers sur une île minuscule, une vingtaine de chiens s'agitaient désespérément en poussant des hurlements à vous fendre le cœur. C'était l'île dont Tamussi se servait pour accélérer le processus de sélection naturelle. Les bêtes amaigries couraient de long en large sans jamais s'arrêter. Elles pensaient sans doute que nous venions les nourrir, sinon les délivrer de cet espace exigu, mais ce n'était pas le cas. Nous les avons laissées derrière nous sans même nous arrêter pour leur lancer un seul morceau de viande.

— Pauvres bêtes!

Philippe ne partageait pas ma compassion.

— Mieux vaut cette île que le fond du dépotoir municipal!

C'était la deuxième fois depuis mon arrivée au Nunavik que mon ami passait le même commentaire.

— Qu'est-ce que tu veux dire par là?

— Deux ou trois fois par année, les Inuits rassemblent les chiens errants du village et ils les abattent d'une balle dans la tête au fond du dépotoir. Si tu y vas un jour, tu vas voir, il y a des ossements de chiens partout. C'est pour ça qu'ils sont plusieurs à se sauver dans la toundra: mieux vaut mourir de froid et de faim qu'assassiné sur un lit d'ordures!

Je comprenais mieux maintenant pourquoi Philippe avait émis des réserves en apprenant ma rencontre supposée avec un loup gris. Peu importe, je n'avais pas l'intention de revenir sur ce sujet avec lui; je savais faire la différence entre un chien et un tel prédateur. Au bout d'une heure, Joanassie a quitté le centre de la baie pour s'engager dans l'embouchure d'une rivière qui ne cessait de rétrécir au fur et à mesure que nous avancions. J'ignorais à quelle distance nous étions de notre destination, mais j'avais le sentiment que quelques kilomètres seulement me séparaient encore de ce rêve que je chérissais depuis si long-temps.

Il arrivait parfois qu'un caribou solitaire apparaisse au loin dans la toundra qui nous cernait de partout. Alors seulement les yeux de Joanassie quittaient la rivière et ses remous pour se poser sur son fusil. Je sentais le combat intérieur, son envie d'accoster et d'aller se présenter en personne à ce gibier qui s'offrait à lui. Mais Joanassie résistait à la tentation et reprenait sa vigie en souriant de bon cœur.

Après avoir caressé le dos de quelques pierres, la rivière s'est de nouveau élargie et nous avons accosté dans ce qui ressemblait à une petite crique. En amont, des rapides tumultueux produisaient des plaques d'écume qui s'accrochaient un peu partout avant de se dissoudre dans les eaux claires et limpides. Nous avons aidé Joanassie et Tamussi à décharger les canots. Je suis ensuite allé examiner les caractéristiques de la rivière avant de tenter un premier lancer avec un leurre approprié. Je n'ai pas eu à attendre longtemps. Deux tours de moulinet ont suffi. Une attaque en règle, sans la moindre équivoque. Je sentais la tension sur ma ligne, ces petits coups rythmés annonciateurs de la lutte à venir. Autour de moi, plus rien n'existait: ni le ciel, ni la terre. Tout mon être était concentré sur ce petit fil transparent que je rembobinais maintenant patiemment afin de soutirer à la rivière ma première prise de la journée. Une minute plus tard, je déposais sur le sol sablonneux le corps sautillant d'une jolie truite. Joanassie, qui m'observait depuis un certain temps déjà, s'est approché.

— *Nutilliq*[47].

Sur quoi il a fracassé la tête du poisson contre un galet avant de le nettoyer à l'aide d'un couteau qu'il portait toujours à sa ceinture. En plus des viscères habituels, des grappes d'œufs écarlates apparaissaient à travers les entrailles tièdes et suintantes. Joanassie les a détachées pour les avaler goulûment.

— C'est bon!

Je le croyais sur parole, mais je ne voulais pas tenter l'expérience de ce caviar. Avant d'aller relancer ma ligne à l'eau, j'ai

---

47 Truite rouge.

changé mon leurre pour une cuiller à palette allongée. Quelques secondes plus tard, je la voyais tournoyer dans les eaux vives en émettant des reflets dorés. Ce scintillement n'a pas tardé à attiser la curiosité d'une nouvelle proie. Cette fois, la pointe de ma canne à pêche s'est courbée. J'ai donné du lest, mais mon adversaire ne s'est pas laissé prendre au jeu. Il a effectué un saut prodigieux hors des eaux. Pendant une fraction de seconde, il est resté immobile dans les airs. Les rayons du soleil frappaient sur ses écailles bleutées qui resplendissaient dans l'espace comme des lamelles d'argent. La bête devait faire dans les trente pouces. Peut-être plus. Le cœur battant, je l'ai regardée retomber lourdement sur le dos. C'est alors que ma ligne s'est brisée.

— Tabarnak!

Philippe s'est retourné vers moi. En me voyant chercher un nouveau leurre dans mon coffre à pêche, il a cherché à me consoler.

— T'en fais pas, t'as tout le temps qu'il faut pour te rattraper!

Il n'avait pas tort. Au bout d'une heure, j'avais accumulé un formidable trésor. Derrière moi, les truites suffoquaient tristement sur le sol en émettant des petites bulles d'air qui éclataient comme des promesses brisées. Vers treize heures, nous avons pris une pause. Philippe s'est assis près de moi.

— Heureux?

— Qu'est-ce que t'en penses?

Philippe m'a serré contre lui. Je savais qu'il était content d'avoir pu tenir sa promesse malgré les imprévus et le fait que nous avions dû finalement refaire appel aux services de Joanassie. Il fallait pourtant le regarder s'amuser avec son fils pour douter de sa méchanceté. Avec leurs fusils en bandoulière, ils arpentaient les berges de la rivière en se tenant par l'épaule. Parfois, pour avoir une meilleure vue sur les environs, ils grimpaient, en s'aidant mutuellement, sur le dos d'une moraine constellée de lichens mystérieux. La main placée au-dessus de leurs yeux, ils scrutaient rapidement l'horizon avant de redescendre pour aller se perdre dans des touffes d'herbes hautes qui poussaient en pagaille le long des berges sinueuses. Leur bonheur était évident et, le temps d'un instant, j'ai cru qu'ils allaient nous abandonner ici pour retourner vivre dans la toundra. Cette idée toute blanche était pourtant farfelue, car j'étais bien certain que même le vieux Tulugaq ne serait jamais retourné vivre dans un igloo, malgré les nombreuses difficultés que connaissaient le village et ses habitants. Sur la banquise comme partout ailleurs, les Inuits avaient souffert du froid, de la faim et de l'ennui. Non, personne n'aurait quitté la chaleur de ces maisons préfabriquées pour retourner vivre dans la toundra, même si celle-ci les rappelait sans cesse à elle.

Je fixais toujours Joanassie et Tamussi lorsque six oies sauvages se sont soudainement envolées devant eux dans un grand brouhaha de plumes et de caquètements. Dans un mouvement parfaitement synchronisé, ils ont épaulé leurs fusils avant de faire feu. Une oie a paru pétrifiée. Elle a plané quelques secondes avant d'amorcer une vrille terrible. Personne ne pouvait dire lequel des deux chasseurs avait fait mouche, mais Joanassie n'arrêtait pas de féliciter son fils. Tamussi, d'ordinaire calme et réservé, avait du rouge plein les joues et de l'éclat plein les yeux. Maurice, qui se tenait non loin de moi, a applaudi.

— Un tir parfait!

— Oui, en plein dans le mille, ai-je renchéri.

À bien y repenser aujourd'hui, cela n'avait peut-être rien d'impressionnant et le hasard y était sûrement pour beaucoup. Mais ce jour-là, nous voulions tous y voir la marque d'un génie naturel et non pas la conséquence d'un coup de chance. C'est probablement là tout le malheur des Premières Nations, à savoir que nous n'arrivons jamais à les regarder comme des hommes tout simplement, avec leurs défauts et leurs qualités. Au fond de nous, on voudrait encore croire au mythe du bon sauvage, si bien que lorsqu'ils nous déçoivent, en exposant cette part d'ombre qui les habite, on finit par les détester d'ainsi briser nos propres illusions. Tout ceci sans doute pour ne pas leur donner un visage humain, puisqu'il faudrait alors les considérer comme des frères et non pas comme des locataires dans leur propre pays.

Tamussi est allé chercher l'oie qui s'était abattue sur le sol rocailleux, pendant que Joanassie revenait vers nous pour préparer notre dîner. Notre guide avait tout prévu: banique[48], biscuits secs, jus de fruits et quelques morceaux de poisson fumé. Rapidement repu, je me suis adossé contre une pierre pour fumer une cigarette en regardant la rivière charrier ses eaux lumineuses. Joanassie, qui parlait peu mais observait beaucoup, m'a demandé:

— À quoi penses-tu?

Je lui ai dit la vérité, que je rêvais d'attraper un omble de l'Arctique mais que je n'étais pas certain de réaliser mon rêve aujourd'hui. Il a souri gentiment.

— C'est celle d'en bas qui décide d'offrir ou non un *iqaluk*[49].

Philippe m'avait déjà raconté la légende de cette femme que l'on connaissait davantage sous le nom de Sedna, la jeune fille qui ne voulait pas se marier et qui refusait tous les prétendants qui se présentaient à elle. Un jour pourtant, un corbeau qui s'était métamorphosé en élégant chasseur se présenta aux portes de son village. Charmée par ses belles manières, Sedna accepta de suivre l'étranger sur l'île qu'il disait habiter. Une fois là-bas, elle découvrit la supercherie dont elle venait d'être la victime.

---

48 Pain de survie amérindien.
49 Omble de l'Arctique.

Affolée, elle appela son père à l'aide. Le vieil homme vint la chercher en kayak, mais comme ils cherchaient à rejoindre la rive opposée, le corbeau, furieux, provoqua une terrible tempête. Effrayé à l'idée de se noyer, le père jeta sa fille à l'eau pour apaiser l'oiseau. Sedna tenta alors de s'agripper aux bordages. Décidé à survivre, son père trancha ses doigts, qui devinrent en tombant les phoques et les morses. La jeune fille qui ne voulait pas se marier finit par sombrer et devenir celle d'en bas, la reine des animaux marins qui apporte parfois son soutien aux pêcheurs méritants.

Au bout de trente minutes, je suis retourné au bord de la rivière pour tenter une nouvelle fois ma chance. J'ai hésité à utiliser un leurre de surface avant d'opter pour une cuiller tournante argentée. Une truite n'a pas tardé à mordre. J'étais déçu car je rêvais toujours d'un omble de l'Arctique. Comme je m'agenouillais pour décrocher l'hameçon, Joanassie s'est approché de moi.

— Elle est trop petite, il faut la remettre à l'eau.

Je l'ai rejetée sans rouspéter. Derrière moi, on ne comptait plus les truites ni les mouches attirées par ce festin à ciel ouvert. Elles tourbillonnaient en formant un nuage noir d'une étonnante densité et je devais me concentrer très fort pour ne pas prêter attention à leur incessant bourdonnement qui résonnait désagréablement dans mes oreilles. Vers quinze heures, j'ai dû concéder la victoire à cet omble que je n'avais pas su attraper et ranger rapidement mon matériel de pêche, car d'inquiétants nuages s'accumulaient maintenant dans le ciel. Joanassie, qui avait également remarqué ce changement de temps, s'est empressé de charger les canots. J'ai pris place aux côtés de Tamussi et de Maurice, dont les yeux très pâles semblaient s'effacer dans la blancheur du jour. Cette fois, nous allions dans le sens du courant et nos deux guides devaient redoubler de vigilance pour éviter les écueils qui surgissaient devant nous à l'improviste. Si Joanassie zigzaguait à travers tous ces pièges avec aisance, Tamussi effectuait fréquemment des virages secs et serrés. Même si j'avais toute confiance en lui, je me surprenais à m'accrocher aux bordages jusqu'à ne plus sentir le sang dans mes mains déjà glacées par le vent et les éclaboussures d'eau. Maurice était plus calme. Engoncé dans un bel imperméable bleu, il se laissait bercer par le clapotis des vagues et le sifflement du vent. Moins serein, je scrutais les moindres remous et je surveillais le lit de la rivière qui remontait parfois jusqu'à former des langues sablonneuses sur lesquelles nous risquions de nous échouer à tout moment.

Encore une fois, des caribous solitaires apparaissaient à intervalles réguliers. Ils traînaient sur la rive comme des âmes en peine. Un grand mâle s'est d'ailleurs jeté devant nous dans un fracas d'éclaboussures argentées. Son corps massif fendait le courant sans difficulté. Je pouvais entendre le frémissement de ses naseaux et voir l'eau perler sur sa fourrure lustrée. Il était si près qu'il m'aurait suffi de tendre le bras pour caresser ses bois noueux et toucher à son œil immense et noir.

Tout comme son père plus tôt dans la journée, Tamussi lorgnait dangereusement du côté de son fusil. Malheureusement, il ne pouvait pas lâcher la barre du moteur sans risquer de nous faire chavirer. La tentation était pourtant grande et la proie, trop proche pour être ignorée. J'aurais voulu me rendre utile, mais je n'ai jamais su tirer. Finalement, Tamussi a haussé les épaules en riant.

— *Ajurnamat!*

Nous avons regardé le caribou rejoindre l'autre rive. Comme pour nous narguer, il s'est longuement secoué avant de reprendre son chemin vers l'intérieur des terres, où la solitude et la mort l'attendaient probablement. De notre côté, nous cherchions maintenant à rejoindre le village au plus vite: un vent chargé d'électricité s'était levé et soufflait sur nous la promesse de l'orage à venir. Une demi-heure plus tard, une pluie glacée s'est mise à tomber. D'abord de fines gouttelettes, puis de véritables hallebardes. Pour ne rien arranger, nous avons été accueillis sur la baie par des vagues énormes. Elles se dressaient devant nous comme autant de murs à enfoncer. Leurs crêtes pleines d'écume nous crachaient au visage des postillons glacés. J'essayais de réchauffer mes joues mouillées avec mes mains mais je n'y arrivais pas. Maurice, lui, se frictionnait vigoureusement les bras et les épaules.

— Ça va?

Il a jeté sur moi un regard affligé et j'ai compris qu'il rêvait tout comme moi d'un bon verre de whisky. Pour me donner du cœur au ventre, je fixais un point sur la côte et je le regardais disparaître derrière moi comme une borne d'autoroute. J'ai dû refaire mon petit manège une bonne centaine de fois avant de pouvoir poser mes yeux sur l'île aux chiens. Mais cette fois, les chiens ne nous ont pas salués de leurs jappements désespérés. Ils étaient roulés en boule le long du rivage et seul un chiot a levé la tête pour nous regarder passer, avant de replonger son museau entre ses pattes. En temps normal, j'aurais eu pitié de lui, il manquait cependant d'espace dans mon cœur qui ne savait plus comment se garder au chaud alors que les éléments continuaient à se déchaîner autour de nous. Tamussi ne semblait pas non plus particulièrement ému. Il se réjouissait sans doute de voir ses chiens s'être finalement résignés à cette île minuscule où la faim et l'instinct de conservation les torturaient depuis plusieurs semaines. Ils seraient bientôt prêts à retrouver le village et à se faire assigner une place dans l'attelage de leur maître.

Nous avons accosté tout près du Staff House sans prêter attention à la pluie qui avait subitement cessé de tomber. Un petit éclair bleu déchirait maintenant la peau noircie des nuages et des goélands traçaient des cercles incertains dans le ciel. Philippe m'a invité à venir manger avec lui et Julie, mais je préférais rentrer chez moi pour me reposer. En cherchant à rejoindre la rue principale, je suis retombé sur le vieux Tulugaq. Assis en indien sur le sol détrempé, ses outils éparpillés autour de lui, il travaillait toujours son bloc de pierre. À croire qu'il n'avait pas bougé depuis ma dernière rencontre avec lui. Curieux, je me suis approché pour voir où il en était dans son travail. Les traits autrefois grossiers s'étaient affinés. On distinguait maintenant dans la pierre verte et poussiéreuse un visage d'enfant souriant. Il ne fallait pas être devin pour comprendre que le vieux Tulugaq cherchait à retrouver l'image perdue de son fils mort et enterré. Incapable de communiquer avec lui en inuktitut, je lui ai offert une truite comme pour le consoler. Il a choisi la plus belle. Elle avait des nageoires violacées et de jolis points rouges sur le ventre. Après m'avoir remercié à travers des hochements de tête, il a repris son travail en me laissant continuer mon chemin jusqu'à chez moi. Même si je n'ai jamais aimé boire seul, je me suis versé un verre de whisky, puis un autre, et ainsi de suite. Ma tête s'est rapidement mise à tourner et mes idées, à s'entremêler comme des racines noueuses. Je repensais au vieux Tulugaq et à son nouveau fils de pierre dont les yeux grands ouverts fixeraient maintenant l'horizon pour l'éternité, comme si quelque chose d'inattendu devait un jour en surgir. J'allais d'ailleurs recroiser régulièrement ce regard lorsque cette sculpture se retrouverait sur ma table de chevet. Un kidnapping qui n'avait rien à voir avec moi.

CHAPITRE QUINZE

En retrouvant le chantier lundi matin, j'ai cru que Thibault allait me faire payer cher ma petite escapade dans la toundra. Je pensais même qu'il allait me renvoyer séance tenante dans la toiture pour me passer le goût de lui redemander de petites faveurs si l'envie m'en prenait. Contre toute attente, il s'est montré curieux, pour ne pas dire intéressé. Il voulait savoir si j'avais attrapé quelque chose. En toute honnêteté, je ne demandais pas mieux que de l'impressionner, lui et son anxiété à qui je m'adressais toujours en premier pour ne pas l'offusquer.

— Peut-être vingt truites.

Un éclair de convoitise a immédiatement traversé ses yeux gris souris. Le pauvre rêvait sûrement depuis longtemps de planter ses dents dans quelque chose de frais et de bien goûteux. Moi aussi, à force, je n'en pouvais plus de manger des conserves et des féculents lorsque Christian n'était pas là pour préparer le souper. J'avais d'ailleurs pris dix ou quinze livres depuis mon arrivée au Nunavik, de quoi percer un nouveau trou dans ma ceinture. Ça me déplaisait terriblement de me sentir pousser le gras du ventre mais je n'y pouvais rien.

En temps normal, je ne me serais pas fait prier pour partager mon butin avec quiconque. Par contre, Thibault m'inspirait si peu d'amitié que j'hésitais franchement à me départir de l'une de mes prises pour lui faire plaisir. À contrecœur, je lui ai finalement proposé un poisson. Il a alors pris un air désinvolte.

— Si ça peut te faire plaisir!

Insulté, j'ai tourné les talons du feu plein les boyaux. Heureusement, Trois-Rivières est venu me trouver rapidement. Il voulait tout savoir, les moindres détails de mon aventure. Je ne savais pas par quel bout commencer. Trop de bons souvenirs se chamaillaient dans ma tête. Je lui ai parlé de l'île aux chiens, des remous cotonneux de la rivière, des truites argentées, des oies sauvages et des caribous solitaires. Je croyais avoir fait un bon résumé, mais une autre question lui turlupinait les méninges depuis un bon moment déjà.

— Et Joanassie?

Trois-Rivières me regardait gravement, un peu comme s'il voulait me faire avouer quelque chose, mais je n'avais rien à confesser. Je devais même l'admettre: Joanassie s'était comporté de manière irréprochable. Il avait veillé sur nous comme une chatte sur ses chatons et, le temps d'une journée, il avait réussi à nous faire tout oublier, à commencer par notre propre culpabilité. C'était peut-être ce que Trois-Rivières cherchait à me faire dire, pour me faire comprendre une bonne fois pour toutes que la violence qui opposait les Inuits ne nous concernait pas et qu'il fallait la regarder comme un mystère dont l'épicentre échappait à tous les sismographes. Il avait peut-être raison. Je lui ai dit:

— Joanassie a été parfait, son fils aussi.

Trois-Rivières n'a rien ajouté et on a repris le travail. Aujourd'hui, pas de soudure. On me demandait d'aider à fixer les derniers panneaux de gypse sur les murs du premier étage. Après, si le temps me le permettait, je devais participer à la finition du revêtement extérieur. Des parements en fibre de bois préfini et des fourrures de bois traité restaient encore à poser. Quant aux deux derniers étages, tout était à faire. Thibault devait bien se douter maintenant que, même en nous faisant travailler d'arrache-pied, l'école ne serait pas terminée dans les temps. Cette perspective ne l'empêchait pourtant pas de nous promettre sur sa tête que nous serions tous sortis d'ici pour Noël. C'était sans doute sa manière à lui de survivre à l'inévitable qui se profilait chaque jour davantage devant nous.

De son côté, Martha avait repris ses petites habitudes. Chaque matin, je la trouvais à l'entrée du chantier, une cigarette clouée au bec. Silencieuse, elle tendait l'oreille aux hurlements désespérés des chiens emprisonnés sur leur îlot rocheux. Lorsque Joanassie ne l'accompagnait pas, nous échangions des paroles toutes simples, comme il en faut parfois pour empêcher le silence de s'épaissir jusqu'à former des murs infranchissables. Je lui demandais souvent des nouvelles de Tamussi. Elle souriait alors en plongeant ses petits yeux de mésange dans les eaux froides de la baie. Je comprenais alors que son fils se portait bien et je ne forçais pas outre mesure la conversation. Je respectais l'épargne rigoureuse qu'elle faisait de sa propre parole. Mais, un matin où je ne m'attendais à rien, Martha s'est retournée vers moi, une confession sur le bout des lèvres.

— Tu sais, je ne voulais pas que Joanassie se retrouve en prison, même après ce qu'il m'avait fait. Je voulais seulement qu'il quitte la maison pour quelques heures, le temps qu'il se calme. Mais McIntosh n'a pas voulu le relâcher et il a pris l'avion du Sud.

— Tu préfères qu'il soit ici avec toi?

Elle a détourné son visage.

— *Aassuk!*

J'aurais voulu qu'elle me parle encore de Joanassie, pour me permettre de comprendre ce qui l'unissait toujours à cet homme, un peu comme mes propres parents autrefois qui s'étaient longuement entêtés à croiser le fer de leur corps comme une douloureuse habitude. Mais Martha ignorait peut-être la réponse. À force de vivre dans un village où chacun cachait les marques d'un abus passé, comment pouvait-elle tracer cette ligne de démarcation au-delà de laquelle rien ne devait plus être toléré? Et même si elle traçait courageusement cette ligne, je ne voyais personne pour l'accompagner sur le long chemin de la guérison, ou alors le problème se trouvait dans mes yeux de *Qallunaaq*, car je n'étais sans doute pas exempt de préjugés et d'idées reçues.

Cette apparente cécité ne m'empêchait pourtant pas de jouer les enquêteurs et de récolter de nouveaux indices auprès de Martha, qui se confiait un peu plus chaque matin. Il lui arrivait même de me parler du village et de sa misère. Cette soudaine franchise me surprenait. Après tout, je n'étais qu'un autre travailleur venu du sud, une ombre qui passe et qui s'en va sans laisser de trace. À bien y repenser, je réalise que c'était justement ce qui lui fallait: un étranger dans un village où chacun se connaissait depuis l'enfance. Je ne risquais pas d'ébruiter ses confidences à tout vent. J'allais les emporter dans mes bagages pour les semer très loin d'ici, au cœur de mes Laurentides.

Les semaines ont ainsi passé. Au début octobre, la neige s'est mise à tomber. D'abord de petits flocons, puis des bordées à vous faire froncer les sourcils. Frileux de nature, j'évitais de sortir dehors sans être chaudement habillé. Je voulais laisser à mon corps le temps de s'adapter à la chute du mercure. Indifférents au retour du temps froid, les Inuits continuaient à traquer le moindre gibier. D'après Martha, une petite communauté de morses venait de s'installer non loin de l'île aux chiens, et des pêcheurs partis depuis peu pourchassaient des bélugas près d'Inukjuak[50]. Tout le monde attendait maintenant leur retour, car le *mattaq*[51] était prisé de tous.

Malheureusement, si la chasse animait encore certains esprits combatifs, le désœuvrement commençait à se lire sur bien des visages. La nuit, les quatre-roues et les motoneiges avaient repris leurs rondes infernales. Je pouvais les entendre

---

50 Village dont le nom signifie «le géant» en inuktitut.
51 Peau épaisse du béluga.

tourner en rond pendant des heures, un peu comme s'ils cherchaient à retrouver un sens perdu depuis longtemps, comme celui de la lune et du soleil. Pour ne rien arranger, Tamussi avait rapatrié sa meute au village et les bêtes enchaînées derrière le petit plain-pied se querellaient sans cesse en émettant sporadiquement des grognements qui éclataient comme des coups de tonnerre dans le ciel.

Le soir, lorsque je me rendais au Staff House pour souper avec mes amis, j'apercevais souvent Tamussi au bord de la grève. Une hachette à la main, il tailladait des morceaux de caribou gelé qu'il distribuait ensuite à ses chiens amaigris par des semaines de privation. Il devait les remplumer avant d'entreprendre ce raid qu'il prévoyait toujours faire entre Puvirnituq et Kuujjuaq. Un périple de 552 kilomètres exactement. J'avais demandé à Philippe de calculer la distance sur ses cartes pour me faire une idée. Il m'arrive encore de croire que Tamussi aurait mieux fait de se perdre en chemin au lieu de revenir vers nous. Malheureusement, on revient toujours à la source des choses, à l'endroit précis du commencement, comme un saumon ne pouvant s'empêcher de retrouver le lieu de sa naissance afin de poursuivre l'œuvre de ses parents.

Le quinze octobre au matin, il neigeotait faiblement sur les toitures du village. De petits flocons comme des grains de porcelaine. Martha était déjà postée devant l'entrée du chantier. Debout sur son quatre-roues, elle fixait la baie. Mais cette fois, j'avais l'impression qu'elle cherchait à voir plus loin que les eaux grisâtres, au-delà de l'horizon et du ciel, comme si elle attendait quelqu'un ou quelque chose. J'ai regardé moi aussi mais je n'ai rien vu. Martha m'a dit :

— Les pêcheurs ont abattu un *qilalugaq*[52] près d'Inukjuak.

---

52 Béluga.

Ils doivent arriver aujourd'hui. Ce soir, nous allons tous nous réunir sur la grève pour partager le *mattaq*. Tu vas venir?

— Bien sûr.

Nous sommes encore restés un moment à fixer la baie avant de rentrer travailler. Thibault m'a rapidement demandé d'aller effectuer des retouches au deuxième étage. J'en avais pour la journée. Vers dix-huit heures, j'ai quitté le chantier en compagnie de Trois-Rivières, qui tenait également à voir le béluga se faire dépecer sur les galets glacés. J'aurais également voulu que Philippe se joigne à nous, mais il avait dû décoller d'urgence au beau milieu de l'après-midi et il ne serait pas de retour avant la fin du jour.

Tous les villageois s'étaient réunis au bord de la grève, un *ulu*[53] à la main. Certains portaient des vêtements traditionnels et d'autres, des habits de neige aux couleurs criardes. Des chiens laissés en liberté glapissaient d'impatience en se roulant sur le sol enneigé. Ils devaient pressentir le festin à venir. Les Inuits étaient également fébriles. Ils riaient très fort sous leur *nasak*[54] et derrière leurs pommettes saillantes. Trois-Rivières ne comprenait pas cette effervescence.

— Ils en font toute une histoire, de ce béluga!

— D'après Martha, y'a rien de meilleur à manger.

— Le pire, c'est qu'ils vont pas se contenter de bouffer ça cru, ils vont probablement en faire de l'*igunaq*[55] ou pire encore!

Je l'ai poussé dans la foule pour le faire taire. Autour de moi, je reconnaissais quelques visages: des ouvriers, des employés du magasin général et des enfants qui traînaient près de mon transit depuis mon arrivée au Nunavik. Un peu en retrait, j'ai aperçu Joanassie et Martha qui tenait son fils dans ses bras. Nelly n'était

---

53 Couteau traditionnel en forme de demi-lune.
54 Tuque traditionnelle.
55 Viande de phoque ou de morse faisandée.

pas loin. Elle s'amusait à faire des ricochets sur les eaux grisâtres et silencieuses de la baie. Je me suis contenté de les saluer de loin, car je ne voulais pas dévoiler à Joanassie la complicité que j'avais développée avec sa femme au fil des semaines. Au même instant, quelqu'un a crié:

— *Tikkipput*[56]!

Trois petites embarcations venaient d'apparaître sur la ligne d'horizon. Des hourras se sont aussitôt fait entendre. J'ai regardé Trois-Rivières: il se mordait les lèvres pour ne pas sourire. Ce n'était pas méchant, mais il était difficile d'imaginer qu'à trois ou quatre heures de vol de Montréal, des centaines de villageois se réjouissaient à l'idée de planter leurs dents dans le gras d'un animal marin mort depuis peu. J'avais moi aussi l'impression d'être ici comme dans un pays au cœur d'un autre pays. Heureusement, la Baie-James s'était autrefois chargée de m'ouvrir les yeux en me faisant prendre conscience de ces habitudes pour le moins inusitées qui nous différenciaient encore aujourd'hui des Premières Nations. Je m'étais ainsi déjà retrouvé invité par des Cris dans l'un de leurs nombreux camps de chasse traditionnels. Trois jours à regarder des vieillards épiner des porcs-épics, à manger de l'ours noir bouilli et à entendre des adolescents parler au téléphone cellulaire pendant que leurs grands-parents s'amusaient à tailler des rames pour leurs canots dans du bois d'épinette. Ce rassemblement n'avait donc rien d'étonnant pour moi.

Au loin, les trois embarcations cherchaient toujours à s'approcher, mais c'était comme si les vagues engourdies par le froid refusaient de les faire glisser jusqu'à nous. Trois-Rivières tapait du pied.

— Crisse, on va passer la nuit ici!

---

56   Ils arrivent!

— Au moins, c'est pas encore la nuit polaire: dis-toi que ça va être moins long!

Trois-Rivières s'est mis à rire de bon cœur, un feu qui en valait bien un autre pour se réchauffer. Les trois bateaux se sont longuement débattus avant de pouvoir jeter l'ancre. Malgré les brumes entrecoupées d'embruns et la noirceur naissante, je distinguais les pêcheurs qui s'épuisaient à transborder le corps caoutchouteux du béluga dans un grand canot à moteur venu à leur rencontre. Je m'attendais à ce qu'ils l'échappent, mais la manœuvre a réussi. Quelques minutes plus tard, le canot accostait sur la grève et les villageois se massaient autour de l'animal mort. Sous l'un de ses yeux éteints, on distinguait un impact de balle qui laissait s'échapper un filet de sang brunâtre. C'était comme si un troisième œil s'était ouvert sur la mort. Les enfants se sont rapidement approchés pour inspecter de leurs petits doigts la gueule, l'évent et les nageoires de l'animal. Nelly se trouvait parmi eux. Avec délicatesse, elle caressait le ventre du béluga. J'avais l'impression qu'elle cherchait à le consoler. Plus tard, on m'a appris que les Inuits croyaient autrefois que l'esprit des animaux abattus se réincarnait sous la forme d'une autre proie. Ainsi, si le chasseur se montrait respectueux à l'égard de sa victime; celle-ci s'offrirait à nouveau à lui. Sans le savoir, Nelly perpétuait peut-être cette ancienne croyance entretenue pendant des siècles par ses ancêtres.

Les enfants se sont longtemps amusés avec le corps de l'animal avant que Joanassie ne les éloigne en saisissant le long couteau qu'il portait toujours à sa ceinture. D'un coup vif et précis, il a tranché l'extrémité d'un aileron qu'il a remis à une vieille femme emmitouflée dans un bel *amauti* finement brodé. C'était le signal, celui du grand partage. Chacun s'est alors pressé autour de Joanassie, qui prenait néanmoins son temps pour découper des parts égales. Trois-Rivières, que le froid avait rendu silencieux, s'est retourné vers moi.

— Tu vas essayer?

— Jamais!

Malheureusement, Tamussi est venu me trouver en me proposant un morceau de gras malodorant. J'aurais voulu me défiler mais je ne voulais pas non plus l'insulter: je savais ce que représentait cette nourriture aux yeux des Inuits. J'ai saisi le lambeau et je l'ai avalé d'un seul trait pour être aussitôt pris d'une violente nausée. Tamussi s'est mis à rire.

— *Atiilu?*

Je n'ai pas eu le temps de lui dire non. Un grand cri comme le barrissement d'une bête blessée s'est fait entendre. Titubant, le regard vidé par l'alcool, le vieux Tulugaq a soudainement fait son apparition au milieu de la foule rassemblée. Dans ses mains tremblotantes, il tenait un couteau dont la lame était aiguisée comme un rasoir. Il a pointé le béluga.

— *Takugit!*

Personne ne savait à qui il s'adressait exactement. C'était comme s'il conversait avec l'invisible à la manière des chamans d'autrefois. Moi, j'avais bien peur qu'il finisse par se blesser avec son couteau qu'il faisait tournoyer au-dessus de sa tête comme une crécelle de Mardi gras. Indifférent, le vieil homme avançait toujours, bancal et boiteux, avec ses grands gestes désordonnés. Il a encore fait quelques pas maladroits avant de se prendre dans ses propres pieds. En tombant, son couteau lui a échappé des mains. Je me suis avancé pour l'aider à se relever, mais il n'a pas remarqué ma main que je lui tendais comme une chance à saisir. J'avais l'air presque idiot, debout devant lui, alors qu'il continuait à parler à voix haute.

— *Sunauna*[57]? *Qilalugaq!*

---

57 Qu'est-ce que c'est?

Les villageois le regardaient sans bouger, un peu comme s'ils ignoraient la manière de faire face à la souffrance qui habitait ses yeux rougis. Ça me chagrinait terriblement de le voir étendu sur le sol comme de l'inutile. Il avait le regard aussi creux qu'un puits sans eau et des larmes blanches comme du mauvais frimas sur les joues. J'allais lui proposer encore une fois mon aide, mais Joanassie m'a pris de court. En riant, il a remis le vieux Tulugaq sur pied avant de l'adosser contre un véhicule motorisé garé un peu à l'écart. Le vieil homme a soliloqué encore un bon moment avant que sa voix ne se perde définitivement dans une série d'incompréhensibles onomatopées. Attristé, je me suis retourné pour faire face à Trois-Rivières.

— Je vais rentrer.

— Moi aussi, je suis fatigué.

Nous avons remonté la rue principale ensemble avant de nous séparer près du magasin général. Comme à mon habitude, je me suis allumé une cigarette. Les rues étaient désertes ou presque. Devant moi, un homme de petite taille marchait en regardant partout autour de lui comme s'il craignait quelque chose. Lorsqu'il m'a vu, il m'a fait signe de m'approcher. Curieux, j'ai obéi. Une longue cicatrice lui découpait le visage en deux. Il avait l'air inquiet.

— *Come with me!*

Je l'ai suivi entre deux maisons en me tenant sur mes gardes, car je ne savais pas ce qu'il me voulait. Le petit homme a jeté un dernier coup d'œil par-dessus son épaule. Finalement, il a sorti de sous son manteau une sculpture de belle dimension. J'ai tout de suite reconnu le travail du vieux Tulugaq et le visage de son fils mort et enterré. Nerveux, le voleur n'a pas tardé à me donner son prix.

— *One hundred dollars!*

J'avais l'argent sur moi, mais je rechignais à payer la rançon pour un objet que je devinais être volé. En contrepartie, si je ne l'achetais pas, un autre *Qallunaaq* le ferait peut-être à ma place et le vieux sculpteur affligé ne retrouverait jamais son fils. J'ai remis à contrecœur les billets au kidnappeur. Il n'a pas demandé son reste et il a filé sous les aurores boréales qui se répandaient depuis quelques jours dans le ciel étoilé. Je suis rapidement retourné à mon transit. Sans trop réfléchir, j'ai déposé la sculpture sur ma table de chevet, juste au-dessus de la botte en caoutchouc de Paulusie que je n'avais toujours pas jetée. Je me sentais soudainement observé, mais ça ne me dérangeait pas. Au contraire, ça me donnait l'impression d'être en vie, puisque pour exister, il faut bien qu'un regard soit posé sur nous.

CHAPITRE SEIZE

J'ai attendu deux ou trois jours avant d'apporter la sculpture au Staff House. Philippe, le Minotaure et David la regardaient comme un objet précieux, une sorte de relique à conserver dans une alcôve. Après avoir vidé un verre de whisky, je me suis mis à table sans omettre un seul détail: le béluga, l'apparition du vieux Tulugaq, ma rencontre avec le kidnappeur et le prix de la rançon. Mes amis m'écoutaient attentivement, à commencer par le Minotaure, qui prenait des notes dans sa tête. Mon récit terminé, Philippe a pris la sculpture dans ses mains.

— Si le vieux Tulugaq a vraiment cherché à représenter son fils dans la pierre, je peux comprendre qu'il se soit saoulé comme un porc après avoir découvert le vol dont il venait d'être la victime.

Le Minotaure s'est fait plus pragmatique.

— *Who sold this to you?*

— Un petit homme avec une cicatrice sur la joue.

Il a tapé sur la table en prenant un air exaspéré.

— Dave Alasuak!

— Tu le connais?

— *Yes, he's a kleptomaniac.*

On m'apprit alors que Dave Alasuak était connu dans le village non seulement pour avoir survécu autrefois à l'attaque d'un ours polaire, mais également pour sa manie de s'approprier tout ce qui lui tombait entre les mains. Normalement, il ne faisait main basse que sur de petits objets sans importance, mais il lui arrivait aussi de dérober des bijoux et des montres qu'il revendait par la suite au plus offrant. Juste pour les deux derniers mois, le Minotaure avait dû le menotter une bonne dizaine de fois, mais cela ne servait à rien: Dave Alasuak récidivait aussitôt libéré et le gros policier n'avait d'autre choix que d'aller le cueillir à nouveau. C'était une manière comme une autre de passer le temps au nord du soixantième parallèle.

Le Minotaure a saisi la sculpture à son tour.

—*We will give it back to the old man tomorrow and I'll get your money back for you.*

Je lui ai répondu avec un fort accent.

—— *I don't care about the money.*

Le policier ne l'entendait pas ainsi.

—— *I do.*

Je le trouvais très gentil de se préoccuper de mon porte-feuille, même si je doutais revoir un jour la couleur de mon argent. Et puis, je n'allais pas faire toute une histoire pour cent malheureux dollars. Je n'étais pas dans la situation de Trois-Rivières, avec ses dettes et ses taux d'intérêt qui lui faisaient comme un nœud solide autour du cou. La seule chose qui m'importait, c'était que le vieux Tulugaq retrouve son fils ou du moins ce qu'il en restait: un regard de pierre et une botte en caoutchouc.

Le lendemain soir, le Minotaure m'attendait à la sortie du chantier dans sa voiture de patrouille. J'ai mis ma tuque et mes gants avant de m'installer du côté passager. Le Minotaure n'a rien dit. Il a augmenté le volume de la radio. Nous avons roulé quelques minutes avant d'atteindre la maison du vieux Tulugaq qui ressemblait à toutes les autres. Nous sommes sortis de la voiture et j'ai laissé passer le Minotaure devant moi. Contrai-rement à lui, ce n'était pas dans mes habitudes d'aller rapporter des objets volés à leur propriétaire. Tout ce qu'on me demandait depuis toujours, c'était de construire des maisons qui seraient un jour ou l'autre cambriolées. À chacun son métier.

Le Minotaure n'a pas cogné. Il s'est contenté d'ouvrir la

porte en appelant le vieillard par son nom. Personne n'a répondu, ou alors seulement le silence qui en dit parfois plus long que toutes les réponses du monde. Nous avons enlevé nos bottes et nous sommes entrés dans la cuisine qui donnait sur le salon. Il n'y avait personne sauf une table immense sur laquelle des blocs de pierre avaient été déposés. Ils portaient tous les marques d'un travail acharné. Chaque fois, le sculpteur s'était arrêté sur une lèvre, une paupière ou un lobe d'oreille, et tous ces visages inachevés témoignaient de la perfection de ce qui avait été autrefois perdu.

— *He should have died before his son.*

Je comprenais ce qu'il voulait dire. Personne ne devrait survivre à ses enfants, mais le destin se moque éperdument de nos désirs. Avant de nous aventurer plus loin dans la maison, le Minotaure a appelé une nouvelle fois le vieux Tulugaq par son nom. Nous avons alors entendu une voix lointaine qui ressemblait à un songe. Elle nous parvenait du deuxième étage. Le Minotaure n'a pas hésité. Il a monté les marches quatre à quatre. En haut, il y avait un petit corridor poussiéreux et des portes entrouvertes. Derrière l'une d'elles, nous avons trouvé le vieil homme étendu sur un lit défait. Il n'était pas seul. Une bouteille de vodka vide dormait à côté de lui. Le Minotaure s'est approché.

— *Qanuippit?*

Le vieux Tulugaq a marmonné quelque chose d'incompréhensible, probablement de l'inuktitut. Je me suis approché à mon tour pour lui remettre la sculpture que je gardais précieusement depuis quelques jours maintenant. Lorsque je l'ai déposée à côté de lui, son visage s'est illuminé d'un seul coup. Même si sa joie faisait plaisir à voir, j'ai regardé le Minotaure pour lui faire comprendre que je voulais partir. Le vieux Tulugaq ne l'entendait pourtant pas ainsi. Il a insisté pour que nous prenions le thé avec lui. Nous avons accepté son invitation et nous sommes tous les trois descendus à la cuisine. Le thé qu'il nous a préparé était amer et noir, et chaque gorgée me râpait la gorge comme du tabac à pipe. Il nous a aussi offert des biscuits secs et durs qui goûtaient la cannelle. Je ne me souviens pas d'avoir discuté avec lui, ou alors seulement à travers des signes et des intonations. Après avoir bu deux tasses de thé, nous avons finalement pris congé du vieil homme. Avant de nous laisser partir, le vieux Tulugaq nous a fait cadeau de deux sculptures. Il a remis la première au Minotaure en disant *ujjuq*[58] et la deuxième en me disant *tuugaalik*[59]. J'allais le remercier mais il a mis sa main sur ma bouche :

—— *Ilaali !*

Le Minotaure a regardé sa montre.

—— *Assunai !*

Une fois dehors, le Minotaure m'a offert de me reconduire chez moi. Je préférais marcher, pour fumer tranquillement, même si le vent soufflait du large et que de petits flocons commençaient à tomber sur le village en formant des vrilles et des valses entraînantes. La météo changeait rapidement. Bientôt, le jour laisserait place à la nuit pour plusieurs mois et le soleil ne quitterait plus sa tanière qu'occasionnellement. Une courte fenêtre entre dix heures du matin et quatorze heures. J'allais maintenant devoir apprendre à m'éclairer avec les étoiles et le visage rond de Taqqiq, le frère-lune, tenant toujours dans sa main sa torche éteinte.

---

58 Phoque barbu.
59 Narval.

CHAPITRE DIX-SEPT

Quelques jours après ma rencontre avec le vieux Tulugaq, je suis au tombé au Staff House sur un livre qui traitait des principaux mythes inuits. L'un d'eux abordait la question du commencement, de cette époque ancienne où l'humanité n'était peuplée que par deux Inuits sortis tout droit de la terre. Ils habitaient une île lointaine et ne connaissaient pas la mort car ils avaient appris à la déjouer. Comme ils se reproduisaient sans cesse, l'île sur laquelle ils habitaient commença à sombrer sous leur poids. Une vieille femme apeurée se mit alors à crier: «Que vienne la guerre! Que vienne la mort!» Entendant cela, un vieillard lui répondit: «Que la guerre nous épargne! Que la mort nous épargne!» Le pauvre homme ne fut pas entendu et les Inuits durent se disperser pour fuir la guerre et la mort qui les sauvaient pourtant de l'extinction en maintenant leur île à flot. Depuis, j'ai beaucoup pensé et je me suis demandé si cette vieille femme n'avait pas oublié de rappeler la guerre et la mort pour les enchaîner solidement après les avoir libérées, car dans les jours qui suivirent ma lecture, les victimes se sont mises à se succéder. Il y a d'abord eu un premier décès. Un soir, tandis que j'essayais d'apprivoiser le froid en marchant sans raison dans les rues du village, j'ai remarqué que le drapeau placé devant la devanture du magasin général était en berne. Un drame était certainement survenu, mais lequel? Habitué à trouver les réponses au Staff House, je suis allé rejoindre mes amis pour récolter quelques informations. Lorsque je suis entré dans le salon, j'ai trouvé Julie qui pleurait abondamment. Philippe et Christian l'entouraient comme deux valeurs sûres.

— Ça va?

Philippe m'a pris à part pour m'expliquer.

— Le fils d'Eva Qumaluk s'est pendu cette nuit et Julie a dû le décrocher ce matin.

J'avais beau faire preuve d'imagination, je n'arrivais pas à m'imaginer Julie debout sur un tabouret en train de décrocher un corps inerte pendu au bout d'une corde. Maurice m'avait déjà parlé de ces jeunes Inuits qui se suicident dans la noirceur de leur garde-robe. Ils se lèvent dans le silence de la nuit, se nouent une corde autour de leur cou puis s'agenouillent en attendant que le poids de leur corps fasse le travail. C'est une mort très lente, parce que la nuque ne se brise pas et que l'as-phyxie est un processus parfois capricieux. Ce qui m'étonne, c'est qu'ils ne changent pas d'avis, qu'ils se laissent mourir sans se relever, comme si rien n'était plus doux que l'idée de quitter ce village. On les retrouve donc au petit matin, raides comme des barres à clous, la tête boursouflée, la bouche grande ouverte et leur langue bleuie à demi sortie, comme une dernière injure crachée à la face du monde.

À un certain moment, Julie a posé sa main sur la cuisse de Philippe. Au lieu de la prendre dans la sienne, il s'est levé pour aller chercher une bouteille d'alcool. C'était sa manière à lui de composer avec l'intolérable. Christian a saisi l'occasion pour se rapprocher de Julie. Avec des paroles douces et des gestes lents, il cherchait à consoler la belle infirmière. Je l'ai même vu lui replacer une mèche de cheveux qui lui tombait au milieu du visage. Son geste était trop tendre pour être amical et il profitait visiblement de l'incapacité de Philippe à faire face à la détresse de Julie pour s'aventurer sur un territoire interdit. J'étais d'ail-leurs surpris que Philippe ne s'offusque pas davantage, ou alors c'est qu'il n'avait jamais considéré Christian comme une menace à prendre au sérieux. J'ai descendu quelques verres avec eux avant de regagner mon transit. Je ne voulais pas me coucher trop tard; Thibault m'avait demandé une fois de plus d'arriver aux premières heures demain matin pour me faire travailler dans la toiture. Cette fois, ce n'était pas les poutrelles ni les pontages d'acier qui l'inquiétaient, mais plutôt une série de raccordements près d'une conduite d'aération.

Le lendemain matin, je suis arrivé vers six heures. Je voulais faire vite pour ne pas rester perché là-haut toute la journée. Vers dix heures, Thibault est venu me trouver. Je pouvais lire sa fatigue sur son visage grisâtre et derrière les cernes épais qui trahissaient ses nuits d'insomnie. Nous savions tous maintenant que le chantier ne serait pas terminé pour novembre et encore moins pour décembre. Plusieurs travailleurs commençaient d'ailleurs à demander à l'avance des congés fériés pour les Fêtes. Thibault n'avait pas le choix d'accepter, mais la compagnie offrait des primes assez juteuses pour qui voulait bien rester. Même Trois-Rivières, lui qui parlait sans arrêt d'aller retrouver sa famille, hésitait à partir devant la perspective d'une telle fortune. De mon côté, je ressentais la plus totale indifférence. Personne ne m'attendait au sud, pas même un chien. Par contre, si j'acceptais de prolonger mon contrat, j'allais devoir continuer à faire avec les angoisses de Thibault qui scrutait mon travail depuis un bon moment déjà.

— Alors?

— C'est presque terminé, l'ai-je rassuré

Je pensais qu'il allait me demander autre chose, n'importe quoi, mais il s'est contenté de me remercier avant d'aller vaquer à d'autres occupations. Fatigué, je suis sorti dehors pour prendre une bouffée d'air. Martha s'y trouvait également. Au lieu de me saluer, elle s'est empressée de regarder autour d'elle pour s'assurer que personne ne nous voyait. Depuis quelques jours, Joanassie s'était remis à l'accompagner dans tous ses déplacements et elle devait craindre sa jalousie. La situation était évidemment grotesque mais je ne voulais pas non plus lui causer des ennuis. Je m'apprêtais donc à rentrer pour la laisser seule lorsqu'elle m'a dit d'une voix enrouée:

— Le fils d'Eva Qumaluk s'est pendu cette nuit.

— Je sais.

— C'est le troisième de ses fils qui se pend comme ça.

Je l'ignorais. Elle a poursuivi:

— Il s'est pendu après un tuyau de métal dans sa garde-robe, comme ses deux frères avant lui. Eva aurait dû le faire couper: c'était trop provocant!

Au même instant, une motoneige a traversé la rue principale à vive allure. Martha a paru inquiète, mais elle s'est rapidement ressaisie: ce n'était pas Joanassie. Ainsi rassurée, elle s'est mise à me parler du passé, des jours morts et enterrés et des heures qui vous marquent à jamais.

— Je ne sais pas si je te l'avais déjà dit, mais je suis née dans un igloo. Il faisait froid, j'avais faim et je m'ennuyais beaucoup. Parfois, je volais des cigarettes à mon père et je les rangeais dans une boîte en métal que je cachais ensuite sous une pierre. Elles y sont peut-être encore?

Une fois de plus, Martha effectuait un virage inattendu en nous faisant passer d'Eva Qumaluk à sa jeunesse dans la toundra enneigée. J'aurais préféré qu'elle continue à me parler de cet enfant retrouvé mort, mais je savais pertinemment que cette porte venait de se refermer et qu'il était inutile de chercher à crocheter la serrure de celle-ci pour l'ouvrir de nouveau. Au fil des semaines, j'avais compris que le suicide était un sujet tabou que les Inuits abordaient rarement entre eux. Trop d'impuissance parfois vous rend muet. Sachant cela, j'ai demandé à Martha:

— Et aujourd'hui, comment trouves-tu la vie dans le village?

Un demi-sourire s'est dessiné sur son visage.

— Maintenant, je n'ai plus froid et je n'ai plus faim.

Sur quoi elle a jeté son mégot aux quatre vents en me faisant comprendre qu'il était l'heure de retourner travailler. Nous étions à peine rentrés que Thibault l'apostrophait méchamment en lui pointant un groupe d'Inuits:

— Comment tu veux que je les fasse travailler si tu n'es pas là pour traduire mes ordres?

Martha a paru interloquée. C'était comme si elle ignorait la manière de répondre à l'agression. Heureusement, Thibault n'a pas insisté. Je crois qu'il cherchait seulement à lâcher du lest. Trois-Rivières, qui n'avait rien manqué de la scène, est venu me soupirer à l'oreille:

— Crisse, y va bientôt péter un câble!

Mon ami avait bien raison: Thibault se contrôlait de moins en moins. Chaque jour, on le voyait se choisir un nouveau bouc émissaire sur lequel il tombait à bras raccourcis. Personnellement, j'arrivais à l'ignorer sans trop de difficulté, mais je m'inquiétais pour Martha, qui ne ripostait jamais même si le traitement que lui réservait notre contremaître était injuste.

J'ai quitté le chantier vers dix-sept heures. Dehors, de grosses bandes noirâtres supplantaient lentement les dernières lueurs bleutées du jour, et les eaux foncées de la baie s'entremêlaient sur la ligne d'horizon avec le crépuscule naissant. J'étais fatigué et je rêvais d'une douche bien chaude, mais en descendant la rue qui menait à mon transit, j'ai aperçu Martha et son mari qui marchaient dans ma direction. Inquiet et curieux, je me suis arrêté devant eux. Joanassie a alors pris la parole.

— Jacques, je suis content de te voir. Martha et moi aurions un service à te demander.

Je lui ai fait signe de poursuivre.

— Le fils d'Eva Qumaluk s'est pendu cette nuit. Dans sa garde-robe, il y a un tuyau de métal qui sort du plafond.

Voudrais-tu venir le découper avec ton chalumeau?

J'ai d'abord cru à une blague, mais je me suis rapidement ravisé en réalisant le sérieux de Joanassie qui attendait ma réponse en se tortillant les doigts. Tout ceci sentait la folie à plein nez, mais je ne me voyais pas leur refuser ce service même si ce pauvre tuyau n'y était absolument pour rien. Je suis donc retourné sur le chantier pour prendre ce dont j'avais besoin. Alors que je ressortais en catimini, Thibault est apparu devant moi à la manière d'un cerbère devant les portes de l'enfer.

— Qu'est-ce que tu fais avec ton chalumeau?

Il avait dû me voir venir de loin avec ses petits yeux filous et sa barbe des mauvais jours qu'il cultivait comme un Japonais son bonzaï. J'aurais voulu lui dire la vérité, mais je me voyais mal lui annoncer que je m'apprêtais tout bonnement à couper le cou à un tuyau innocent dans le fond d'une garde-robe poussiéreuse. À tout hasard, j'ai tenté un peu d'humour.

— C'est pour allumer ma cigarette.

Thibault n'a pas ri mais ce n'était rien pour me surprendre. Il lui manquait la fibre, comme on dit. Il m'a dévisagé encore un instant avant de me laisser filer en maugréant. Au fond, il se foutait éperdument que j'aille allumer des feux aux quatre coins du village. Sa seule préoccupation demeurait cette école et toutes ces imperfections que les puissants groupes halogènes ne cessaient de mettre en évidence au fil des jours. Trop de lumière ou trop de noirceur, c'est du pareil au même: ça finit toujours par vous masquer la vue et la raison.

Je suis rapidement retourné auprès de Martha et de Joanassie, qui m'attendaient adossés contre un conteneur. Ils avaient l'air nerveux. Je n'étais pas non plus à mon aise et je souhaitais faire au plus vite. Le village était étrangement tranquille et j'avais l'impression que derrière les persiennes à demi inclinées on me regardait passer comme on regardait autrefois le bourreau s'avancer vers l'échafaud. La maison d'Eva Qumaluk se dressait au milieu du village comme une blessure béante attendant d'être refermée. Martha a cogné à la porte avec vigueur. Une jeune femme a rapidement ouvert en nous faisant signe d'entrer. À l'intérieur, il régnait une chaleur étouffante. Assis dans la cuisine, deux enfants mangeaient silencieusement. Dans le salon, deux jeunes filles perdues dans un sofa défoncé écoutaient la télévision en se chamaillant. Nous sommes montés au deuxième étage sans même les saluer. La chambre du suicidé se trouvait tout au bout d'un petit corridor faiblement éclairé. On m'a fait entrer en premier. Des vêtements traînaient encore sur le plancher tandis qu'un verre de lait à moitié plein tiédissait sur le coin d'un bureau recouvert par des livres d'école. Les portes de la garde-robe étaient quant à elles demeurées grandes ouvertes, un peu comme si elles voulaient nous souhaiter la bienvenue. J'ai passé la tête à l'intérieur pour jeter un coup d'œil. Au-dessus de moi, une partie du plafond suspendu avait été arrachée et je pouvais voir le tuyau qui, au final, n'était rien d'autre qu'une tige d'acier reliant deux solives. J'ai allumé mon chalumeau portatif et je me suis mis au travail. Le métal n'a pas tardé à rougir et les étincelles, à jaillir. Je devais faire très attention pour ne pas mettre le feu et transformer du même coup cette maison en crématoire. Derrière moi, j'entendais Martha qui cherchait à consoler Eva. Je pouvais également voir du coin de l'œil Joanassie qui s'affairait à plier soigneusement les vêtements qui traînaient sur le plancher. Ça ne servait pas à grand-chose, mais dans de telles circonstances, tout devient une option, même l'inutile.

L'exécution s'est faite rapidement. En moins de cinq minutes, je tenais la tête du condamné entre mes mains et je la tendais à Eva. La mère éplorée n'a pas voulu s'en approcher. Ne sachant ce que je devais en faire, je l'ai rangée dans mon sac à dos pour m'en débarrasser plus tard. Eva nous a ensuite raccompagnés jusqu'à la porte. Dehors, la nuit s'était répandue comme de l'huile. Joanassie m'a offert de venir prendre le thé pour me remercier mais j'ai refusé. Je voulais retrouver mon transit au plus vite. En remontant la rue principale, j'ai croisé la voiture de patrouille du Minotaure qui était garée entre deux maisons. L'un de ses pneus était à plat. Le gros policier allait sûrement venir la récupérer plus tard. Une fois chez moi, je me suis versé un grand verre de whisky, un peu pour m'enivrer, mais surtout pour oublier le regard défait d'Eva. Heureusement, et contrairement à Julie, je n'avais pas été confronté à la vision du mort. Je savais seulement qu'il avait eu un visage, et une mère pour le mettre au monde. Pour le reste, j'étais entré dans cette maison comme on entre dans un songe ou un mauvais rêve. Tout n'était qu'impressions et sentiments diffus.

Avant de me mettre au lit et de fermer la lumière, je suis allé chercher mon sac à dos et j'ai vidé son contenu sur le plancher de ma chambre à coucher. Le morceau de métal est tombé à côté de la botte en caoutchouc de Palausie en émettant un tintement strident. Je l'ai regardé un instant en repensant à ce que je venais de faire dans la maison d'Eva. Je n'étais ni fier ni triste. Je savais que tout ceci ne rimait à rien, car la douleur des blessures passées ne disparaît jamais avec la mise à mort des coupables prétendus.

CHAPITRE DIX-HUIT

Les jours ont continué à s'égrainer lentement jusqu'à ce que nous ne soyons plus qu'à quelques semaines de Noël. Pour ne pas me sentir trop seul dans ce monde qui avait bien trop d'espace à combler, je mangeais chaque soir au Staff House. Malheureusement, l'ambiance n'était plus la même. Christian ne faisait plus à manger et Philippe se montrait souvent irritable. Le Minotaure se joignait parfois à nous, mais seulement le temps d'un verre. Quant à Maurice et Julie, ils ne quittaient plus les murs du dispensaire, car l'hiver avait apporté avec lui son lot de virus et de microbes. Dans la petite salle d'attente, on ne comptait plus les patients atteints d'infections pulmonaires et, comme si cela ne suffisait pas, quarante nouveaux cas de tuberculose venaient d'être déclarés sur la côte. Seul Tamussi semblait se porter à merveille. Je l'apercevais tous les jours au milieu de ses chiens qui attendaient le jour du grand départ pour Kuujjuaq. Un soir où je faisais mes courses au magasin général, je l'avais rencontré dans le rayon des surgelés. Il portait une grosse parka, une tuque en laine tricotée serrée, mais surtout sa fierté, qu'il cultivait malgré tout ce qui cherchait à l'entraver dans ce coin perdu du monde. Curieux, je lui avais demandé s'il avait finalement déterminé la date de son départ. Il m'avait répondu avec assurance:

— D'ici vendredi.

Nous étions le cinq décembre et je me demandais s'il n'était pas trop tôt pour traverser la toundra avec pour seuls amis son traîneau, ses chiens et son petit poêle Coleman. La neige n'était pas très épaisse et il risquait d'abîmer les patins de son traîneau. Tamussi ne s'en souciait guère.

— Peut-être, mais je veux partir maintenant.

Son goût du risque et de l'aventure m'impressionnait terriblement. Pour l'encourager à revenir en un seul morceau de son aventure, je lui ai promis ma dernière bouteille de whisky à son retour. Un cadeau hors de prix dans un village supposément sec. Tout de suite après, j'ai regretté mon offre. Un vieux réflexe, car j'ai toujours entendu dire que donner de l'alcool à un autochtone, c'est comme abreuver un feu qui couve avec de l'essence. Paraît que c'est parce qu'il leur manque une enzyme que les Amérindiens et les Inuits supportent mal la boisson. Je veux bien croire. C'est toujours le manque de quelque chose qui vous fait boire et perdre la tête, moi le premier.

Tamussi est parti quelques jours plus tard, par un matin où le mercure semblait lui-même figé par le froid. J'aurais voulu assister à son départ, pour lui souhaiter bonne chance, mais Thibault m'avait encore demandé de rentrer plus tôt sur le chantier et il n'était pas question cette fois de lui demander une petite faveur. Je me souviens très bien, ses yeux avaient le jaune des mauvaises nuits et ses joues, la blancheur des condamnés. Il n'en pouvait plus de travail et chaque jour apportait malheureusement son lot de contretemps: outils brisés, matériaux endommagés, maladies et autres anicroches. Cette fois-ci, il voulait que je termine la tuyauterie dans les deux salles de bain du deuxième étage. Comme je me mettais au travail, Trois-Rivières est venu me trouver. Depuis quelques semaines, il affichait un petit air mélancolique. Je lui ai demandé:

— Ça va?

Il n'est pas passé par quatre chemins.

— Ma femme et mon fils me manquent.

J'aurais voulu lui dire que je comprenais, qu'il n'était pas seul dans sa misère, que j'étais avec lui, mais c'était faux, parce que personne ne m'attendait nulle part et que je ne souffrais pas de ma condition, du moins en apparence. Tout ce que je pouvais faire pour le réconforter, c'était lui offrir mes propres mensonges.

— Tu vas les revoir bientôt!

Je lui ai ensuite demandé s'il avait vu Martha dernièrement.

— Non, pourquoi?

— Je voulais juste savoir.

En vérité, je m'inquiétais, car elle avait une fois de plus disparu sans laisser de trace. Cependant, le soir venu, comme je marchais en direction du Staff House, je l'ai aperçue qui se promenait le long de la grève. Sans réfléchir, je suis allé vers elle. Je voulais savoir si tout allait bien et si elle comptait revenir travailler bientôt avec nous sur le chantier. Elle a haussé les épaules en détournant son visage.

— *Joanassie, he doesn't like me working there so I had to quit.*

Même si sa décision me choquait, je n'ai rien ajouté; contrairement à elle, je ne risquais pas de me faire battre ni traîner par les cheveux sur le plancher de ma propre cuisine. Pour couper court au malaise qui commençait à s'installer entre nous, je lui ai demandé des nouvelles de son fils Tamussi. Je voulais savoir comment s'était déroulé le jour du grand départ. Elle s'est montrée encore plus laconique.

— *Everything went well.*

Martha ne voulait visiblement pas discuter avec moi ce soir. Autrement, elle ne se serait pas entêtée à me parler en anglais en sachant très bien que je ne pouvais pas converser longtemps dans la langue de Shakespeare. Après quelques hésitations, nous nous sommes quittés en nous souhaitant mutuellement bonne nuit. Quand je suis arrivé au Staff House, Philippe, Julie, Christian et David écoutaient la télévision au salon. Je suis allé les rejoindre sur le divan. Philippe m'a demandé comment s'était déroulée ma journée. Je lui ai alors parlé de Martha et de sa démission surprise. Il a paru attristé:

— C'est malheureux, mais qu'est-ce qu'on peut faire?

Christian a saisi l'occasion au vol:

— Ce serait déjà bien de ne pas engager son mari pour des petits contrats dans la nature!

Philippe s'est emporté:

— Vas-tu finir par nous crisser patience avec ça? En plus, y'avait pas juste nous deux: Julie et Maurice étaient là aussi!

Christian allait lui rétorquer quelque chose mais Julie s'est interposée entre les deux duellistes:

— Allez-vous finir par vous calmer!

Philippe et Christian se sont regardés comme des chiens de faïence. Pendant un bref instant, j'ai cru qu'ils en viendraient peut-être aux coups, mais ils se sont bien gardés de commettre une telle erreur. Pour moi, il ne faisait aucun doute que si Christian s'en prenait ainsi à Philippe, ce n'était pas seulement à cause de cette expédition à laquelle nous avions tous participé, mais également parce qu'il ne pouvait plus supporter de le voir embrasser Julie jour après jour. À sa place, j'aurais demandé une autre affectation au lieu de continuer à me torturer sans arrêt et de risquer de m'en prendre ainsi à un collègue. Il y avait d'ailleurs dans ses yeux une ébullition à vous prédire le pire, mais Philippe ne prêtait aucunement attention à ce bouillonnement dangereux. Au contraire, il m'a proposé d'aller faire un tour dehors juste tous les deux en laissant Julie derrière, comme une tentation abandonnée au bord du chemin.

— Tu veux marcher du côté de la grève? lui ai-je proposé.

— Non, on va prendre la camionnette.

— Pour aller où?

— N'importe où!

Je me suis habillé et je suis sorti rapidement pour laisser une chance à Philippe et Julie de discuter seul à seule. Dehors, un vent glacial soufflait du nord et j'avais l'impression à chaque rafale d'être transpercé par cent couteaux. Au bout de cinq minutes qui m'ont paru une éternité, Philippe est venu me rejoindre et nous nous sommes réfugiés dans la camionnette. Après avoir mis le véhicule en marche, Philippe s'est engagé sur la rue principale. Elle était déserte, sauf peut-être pour la voiture de patrouille du Minotaure qui était toujours garée sur le bas-côté entre deux maisons. Deux pneus étaient maintenant crevés et la portière du côté conducteur portait des marques de coups et blessures. Je me demandais ce que le gros policier de Sudbury attendait pour remorquer son véhicule en lieu sûr. Philippe, qui regardait également la voiture comme on jette un œil sur la carcasse d'un animal mort, a soupiré méchamment:

— Crisse qu'ils sont cons!

J'ai cherché à tempérer ses propos.

— Arrête, c'est sûrement des jeunes qui n'avaient rien d'autre à faire.

Il n'était pas d'accord.

— Moi je pense plutôt que c'est l'alcool qui a encore fait parler quelques âmes en peine!

Je n'ai rien répondu et Philippe n'a pas cherché à poursuivre sur sa lancée. Arrivés près du chantier, il a tourné sur une petite rue transversale que je n'avais jamais empruntée. Je lui ai demandé ce qu'il faisait. Il m'a dit:

— C'est un raccourci vers la station de pompage.

Sans le savoir, en choisissant de gagner ces quelques mètres sur un itinéraire de cinq kilomètres à peine, Philippe venait de nous attirer dans un guet-apens que le destin fomentait depuis plusieurs semaines déjà. Devant nous, un groupe d'Inuits placé en demi-cercle bloquait la rue. Philippe s'est avancé afin de s'ouvrir un passage dans la foule, mais personne n'a bougé. Il s'apprêtait à faire marche arrière lorsque j'ai posé ma main sur le volant.

— Arrête!

Au centre du demi-cercle, deux Inuits se rouaient de coups sous le regard impuissant des autres villageois. À un certain moment, l'un des deux bagarreurs a été projeté sur le sol à quelques mètres de la camionnette. En se relevant, il a regardé dans notre direction et j'ai immédiatement reconnu le visage ensanglanté de Martha. Je n'ai pas réfléchi et j'ai bondi hors du véhicule pour me porter à son secours. Plus rapide encore, Philippe s'est précipité sur moi pour me plaquer au sol.

— T'es fou! Tu veux vraiment te retrouver avec tout le village sur le dos?

Le visage écrasé dans la neige, je pouvais voir Martha et Joanassie s'entredéchirer de nouveau. Ils le faisaient avec une telle intensité que j'étais bien incapable de dire lequel des deux s'en tirait le plus brillamment. Autour d'eux, les Inuits hésitaient toujours. Ils semblaient paralysés, un peu comme s'ils attendaient le retour d'un réflexe disparu depuis longtemps pour réagir.

De son côté, Philippe venait de me fournir l'étincelle fondamentale. Un minuscule copeau de feu arraché à l'arbre de mes souffrances et dont les racines s'enfonçaient dans les profondeurs de mon cœur depuis l'enfance. J'ai soudainement eu envie de frapper mon ami, de toutes mes forces, comme si son visage prenait soudainement la forme de mes nombreux ennemis intérieurs, à commencer par le visage de mon père. Je l'aurais sans doute fait si Joanassie n'avait pas poussé au même instant un cri terrible. Martha venait de le faire trébucher sur le sol et elle courait maintenant vers nous. Cette fois-ci, Philippe a pris la bonne décision. Il s'est relevé à toute vitesse pour aller ouvrir la portière du côté passager. Martha s'est jetée à l'intérieur du véhicule en me laissant juste le temps de la suivre. Voyant qu'elle saignait abondamment du nez, je me suis retourné vers Philippe, qui avait déjà pris sa place derrière le volant.

— Il faut l'emmener au dispensaire.

— Tout de suite!

Nous sommes rapidement arrivés devant le dispensaire d'où s'échappait une lumière blafarde. J'ai voulu aidé Martha qui titubait comme si elle avait bu un grand verre de vin chaud, mais elle a repoussé ma main d'un coup sec. Entre-temps, Philippe s'était précipité à l'intérieur du bâtiment pour prévenir Maurice qui n'a pas tardé à apparaître dans l'embrasure de la porte d'entrée. En voyant Martha qui tournait sur elle-même comme un carrousel brisé, il a demandé à une infirmière que je ne connaissais pas et qui se tenait derrière lui de l'emmener dans une salle d'examen. Je ne suis pas entré avec eux, préférant plutôt fumer cigarette sur cigarette pour me calmer. Lorsque Philippe est réapparu, il a essayé de me parler.

— Jacques, je suis désolé.

Il disait peut-être la vérité, mais je ne voulais pas l'entendre: j'éprouvais encore trop de colère à son égard. Devant mon mutisme obstiné, il m'a souhaité bonne nuit avant de disparaître dans la nuit. Je suis resté un long moment devant les portes du dispensaire, à regarder les aurores boréales éclore au-dessus de moi et à me demander comment mon ami avait pu se comporter de la sorte. Je l'ignorais. C'était comme si la violence qui touchait les Inuits appartenait à un autre monde que le sien et que, par conséquent, il n'était pas tenu d'intervenir. Était-il pourtant possible de se déresponsabiliser à ce point sous prétexte que les villageois n'aimaient pas voir des *Qallunaat* s'immiscer dans leurs petites affaires? J'en doutais fortement et je n'avais qu'à songer à la réaction de Philippe lorsqu'il avait appris le retour de Joanassie au village après ce petit mois passé derrière les barreaux pour savoir qu'il n'était pas insensible à ce point. Je me souvenais d'ailleurs très bien de cette soirée où il s'était saoulé comme un adolescent. L'amour ou la haine? Je comprenais mieux maintenant ce qu'il avait voulu me dire, mais je n'étais pas encore prêt à choisir mon camp. Par contre, je ne doutais pas que Martha avait choisi le sien en nous voyant, Philippe et moi, étendus sur le sol enneigé alors qu'elle espérait un peu d'aide. Que pouvait-elle bien penser de nous et, plus important encore, que devais-je penser de moi? Depuis mon arrivée au Nunavik, à l'exception de ce soir peut-être, j'étais demeuré en retrait, incapable de prendre ma place dans ce monde qui demandait une combativité que je ne possédais pas. Je ressemblais à ces animaux gardés en cage trop longtemps et qui, une fois libérés par une main charitable, ne savent plus écouter leur propre instinct.

J'ai dû regarder les aurores boréales une bonne demi-heure avant que le froid ne me convainque de rentrer chez moi pour me réchauffer autour d'un verre de whisky. Alors que je descendais la rue principale, j'ai aperçu le Minotaure qui la remontait en sens inverse. Il marchait rapidement. Quelqu'un avait dû le prévenir pour Martha et Joanassie. Arrivé à ma hauteur, il s'est arrêté en reprenant son souffle:

— *What is going on?*

— Joanassie a battu Martha, ai-je répondu avec tristesse.

Le Minotaure a grogné:

— *I should shoot him like a wounded horse!*

Sur quoi il a repris son chemin en me laissant seul derrière. Je me demandais si Martha allait de nouveau porter plainte contre son mari et si cette fois le juge le condamnerait à une peine d'emprisonnement conséquente. Malheureusement, une autre menace guettait Martha, plus vicieuse encore que tous ces coups qu'elle avait déjà reçus au visage. Et demain, chacun de nous réaliserait sa pleine portée lorsqu'elle se déploierait comme un oiseau de proie aux ailes gigantesques.

CHAPITRE DIX-NEUF

Cette nuit-là, je n'ai pas bien dormi. Trop de pensées cherchaient à se faire une place dans mon esprit vacillant. Vers cinq heures du matin, malgré ma fatigue, je me suis levé en m'allumant une cigarette, désobéissant ainsi à l'interdiction de fumer dans les transits. Après m'être habillé, j'ai déposé ma cafetière italienne sur la cuisinière. J'ai mangé un bol de céréales, j'ai bu mon café et je suis parti. Pour une rare fois, je ne me suis pas arrêté pour fumer avant d'entrer sur le chantier: il faisait trop froid et Martha n'était évidemment pas là pour me tenir compagnie. À l'intérieur, tout était silencieux. C'était mon moment préféré, l'instant où je régnais sur un territoire dont je participais à la construction sans avoir à l'habiter. Les ouvriers sont apparus tranquillement en marchant d'un pas lent. Dès que j'ai aperçu Trois-Rivières, je suis allé le trouver.

— Bien dormi?

Il s'est massé la nuque en bayant aux corneilles.

— Pas mal, et toi?

Profitant de cette ouverture, je lui ai raconté les événements de la veille, pour qu'il comprenne ce que je ressentais dans mon cœur habituellement fermé à double tour. Il m'a écouté sans m'interrompre une seule fois. À la fin, il a posé gentiment sa main sur mon épaule en me poussant vers le troisième étage, où une somme de travail considérable nous attendait.

— C'était pas ta faute, Jacques. Moi aussi, j'aurais hésité. La violence du Nord, personne sait comment la gérer, parce qu'elle ne nous appartient pas même si on l'a tous un peu aidée à naître sans jamais s'en rendre compte.

J'aurais voulu qu'il s'explique davantage, mais un événement inattendu s'est soudainement produit près de nous. Alors qu'il déplaçait une échelle d'échafaudage sur roulettes, un jeune Inuit s'est approché trop près de la cage d'escalier qui menait au deuxième étage. J'ignore encore s'il s'agissait d'un geste délibéré ou d'une erreur d'inattention, mais l'Inuit a continué son chemin malgré le trou béant qui s'ouvrait devant lui. Le vacarme a été terrible. Un tonnerre de métal à vous crever les tympans. Hébétés, nous avons tous regardé l'assemblage d'acier terminer sa course dans une fenêtre située sur le palier inférieur.

Le pauvre Inuit, qui avait lâché l'échafaudage juste à temps, fixait maintenant le vide sans trop comprendre ce qui venait d'arriver. Pour ne rien arranger, Thibault est apparu au pas de course sans prendre le temps d'évaluer les dégâts, car le vent qui s'engouffrait maintenant à l'intérieur du chantier en sifflant en disait déjà assez long sur l'étendue de la tragédie. Rouge comme une pivoine, il a saisi le jeune travailleur par le collet en appelant Martha de toutes ses forces pour qu'elle traduise ce qu'il avait à dire. Notre contremaître s'époumonait inutilement: Martha ne rentrerait plus jamais travailler sur le chantier. Enfin, c'est ce que je croyais. Vers dix heures du matin, elle s'est présentée devant nous avec son nez cassé et ses joues rougies d'ecchymoses. Je croyais que ce spectacle allait inciter Thibault à la clémence, mais ce ne fut pas le cas.

— T'étais où calice?

Martha n'a rien répondu, pas un mot, pas un son. Thibault a dû interpréter son silence pour de l'arrogance. Et puis, il y avait aussi son visage cassé qui lui faisait comme un malheur de trop à regarder. Il a saisi un balai qui traînait près de lui avant de le lancer aux pieds de Martha.

— À partir de maintenant, ça va être ta seule responsabilité: le ménage!

Autour de moi, je sentais la colère se répandre comme de la

mauvaise maladie et les jurons s'accumuler. Je m'apprêtais même à défendre vertement Martha lorsque Trois-Rivières, qui détestait Thibault à s'en confesser, s'est jeté sur lui sans prévenir en le plaquant d'un seul coup sur le sol couvert de sciures de bois et de poussière de gypse. Étourdi, Thibault s'est relevé péniblement en frottant ses genoux. Après avoir jeté un regard circulaire autour de lui, il a pointé Trois-Rivières du doigt. Je pensais qu'il allait le renvoyer séance tenante, mais il semblait incapable de formuler la moindre phrase. Trois-Rivières, qui ne demandait pas mieux que d'en découdre une bonne fois pour toutes, a fait un pas en avant en signe de provocation. Thibault, que la colère défigurait affreusement, a hésité encore un instant avant de battre en retraite dans sa roulotte de commandement, comme un ours blessé dans sa tanière. Le reste de la journée s'est déroulé dans une étrange atmosphère. Je m'attendais à ce que Thibault réapparaisse à tout instant pour congédier Trois-Rivières, mais il n'est jamais revenu sur le chantier. Vers la fin de l'après-midi, je suis allé voir Trois-Rivières.

— Ça va aller?

Il m'a regardé sans broncher.

— S'il me renvoie, je te jure, je vais partir en souriant!

Trois-Rivières disait la vérité. Même si ses créanciers le tenaient à la gorge, sa limite de crédit personnel était dépassée depuis trop longtemps pour qu'il se retienne devant un tel spectacle. Je lui ai néanmoins proposé de venir prendre un verre chez moi, mais il a refusé poliment, préférant rentrer chez lui pour appeler sa femme et parler avec son fils. Je n'ai pas insisté et je suis rentré chez moi. Vers vingt heures ce soir-là, alors que j'écoutais la télévision en pensant à Martha, dont je n'avais eu aucune nouvelle, quelqu'un a cogné à la porte de mon transit. Dès que j'ai vu Philippe derrière la porte, j'ai compris que quelque chose n'allait pas. Sous ses cheveux blonds ébouriffés et au-dessus de ses joues trop maigres, ses yeux étaient petits, laiteux, bien fragiles. Ils ressemblaient à des œufs abandonnés au fond d'un trop grand nid. J'ai pris son manteau.

— Qu'est-ce qui t'arrive?

Philippe hésitait, ce qui n'était pas dans ses habitudes. Pour lui délier la langue, je lui ai servi un grand verre de whisky. Finalement, il m'a lancé, comme une grenade en plein visage:

— C'est Martha, elle a eu un accident.

Sur quoi, il m'a raconté tout ce qu'il savait. La nuit dernière, alors qu'elle se trouvait encore au dispensaire, elle avait demandé à voir le Minotaure pour porter plainte contre son mari. Le gros policier avait pris sa déposition avant de contacter un procureur de la couronne à Amos. Devant les faits rapportés et les antécédents de Joanassie, le procureur avait aussitôt ordonné son arrestation pour qu'il soit de nouveau transféré à la prison de Saint-Jérôme. Le Minotaure s'était rendu chez lui ce matin pour lui passer les menottes. Martha, qui ne voulait pas assister à l'arrestation, avait préféré se présenter sur le chantier pour travailler. Malheureusement, Thibault n'avait pas su l'accueillir, bien au contraire. Quelques heures plus tard, on retrouvait Martha étendue sur le sol enneigé tout près d'une maison. Selon toute vraisemblance, elle avait perdu la maîtrise de sa moto-neige. En effet, celle-ci se trouvait encastrée dans une remise en bois située à moins de dix mètres de la rue principale. Les premiers répondants du village s'étaient chargés de la transporter sur un brancard au dispensaire et Maurice, craignant à juste titre les complications, avait rapidement organisé son transfert à Kuujjuaq. En cours de vol, Martha s'était mise à se vider de son sang comme une inépuisable fontaine. Et Philippe, malgré mon whisky et mon amitié, n'arrivait toujours pas à supporter tout ce sang qui était apparu devant lui comme une tache into-lérable sur la blancheur immaculée de la toundra.

— Tu comprends, c'était comme si Martha avait saigné ses blessures sur moi et que je n'avais rien pu faire pour l'en empêcher!

Je comprenais, surtout l'impuissance, un sentiment tenace qui n'a jamais de cesse. Vers minuit, je l'ai mis à la porte. Je n'en pouvais plus. Je devais dormir, enterrer cette journée, ne plus y penser. Le lendemain soir, je suis allé manger au Staff House. Tout le monde y était: Philippe, Julie, Christian, David, Maurice et le Minotaure. Selon les informations qu'avait pu obtenir Maurice en appelant à Montréal, l'état de Martha demeurait critique et aucun médecin ne voulait s'avancer sur son pronostic puisqu'elle présentait plusieurs fractures au niveau de la boîte crânienne et qu'elle était toujours plongée dans un profond coma. Julie ne cachait pas sa peine.

— Pauvre femme! Et qui va s'occuper de ses enfants maintenant?

Le Minotaure connaissait la réponse.

— *Either youth protection or Martha sister.*

Même si j'éprouvais une peine infinie pour Martha, je n'arrêtais pas de penser à Tamussi, à la réaction qu'il aurait à son retour au village, car il n'y aurait personne pour l'accueillir sur la ligne d'arrivée, à condition bien sûr qu'il revienne en un seul morceau de son expédition, chose que je ne lui souhaitais plus dans les circonstances. Tamussi est pourtant revenu quinze jours plus tard un soir où la neige tombait dru sur le village et où le vent cravachait les toitures en sifflotant des mélodies glaciales. Je suppose qu'il s'est d'abord rendu chez lui pour trouver une maison vidée de ses occupants. Inquiet, il a dû s'informer auprès de ses voisins, revenir chez lui, tourner sur lui-même et peut-être même frapper dans un mur. Je n'en sais rien. Je sais seulement qu'il est venu cogner à ma porte alors que je ne l'attendais pas. Je croyais qu'il venait chercher des réponses, mais ce n'était pas le cas.

— La bouteille de whisky, tu m'avais promis!

Je me souvenais très bien de ma promesse et de cette dernière bouteille que je gardais jalousement cachée derrière le meuble de la télévision. J'hésitais pourtant à la lui remettre, non pas parce qu'il s'agissait d'un *single* malt plein de promesses à boire, mais parce que je trouvais dangereux de verser les larmes d'un tel spiritueux sur les lèvres d'une blessure aussi fraîche, car je ne doutais pas que Tamussi devait souffrir des récents événements. En contrepartie, j'étais le premier à comprendre l'intérêt d'un tel élixir dans une situation pareille. À défaut d'une route à parcourir pour s'oublier momentanément, l'alcool présentait une option intéressante. La bouteille pesait donc lourdement dans ma main, peut-être trop pour ne pas m'inquiéter davantage. Après avoir tergiversé quelques secondes, j'ai finalement remis son dû à Tamussi en cherchant à le faire parler mais il s'est montré réticent à répondre à la moindre de mes questions. Impuissant, je l'ai laissé filer dans la nuit comme tant d'autres choses que l'on regrette après coup.

Avant de me mettre au lit, j'ai jeté un dernier coup d'œil à la botte en caoutchouc de Paulusie et au morceau de métal qui traînaient toujours sur mon plancher. Combien de morceaux allais-je encore ainsi récupérer pendant mon séjour au Nunavik? Je ne voulais pas trop y penser alors je me suis abandonné au sommeil en espérant l'aube nouvelle. Vers trois heures du matin, j'ai ouvert les yeux. Les murs de ma chambre étaient tapissés de lueurs orangées qui ondulaient lascivement en formant des danses compliquées. Je croyais que c'était déjà le jour, que mon réveille-matin n'avait pas sonné, mais c'était une toute autre chose. Au milieu du village, une flamme énorme montait vers le ciel en cherchant à rejoindre les aurores boréales. Au bout d'une minute qui m'a paru une éternité, j'ai compris que le chantier brûlait.

Je me suis précipité à l'extérieur de mon transit. Dehors, les

Inuits affolés couraient en direction du brasier. En remontant la rue principale, j'ai croisé Tamussi qui marchait à contresens. Titubant, une bouteille de whisky vide à la main, il dégageait une forte odeur d'essence. Je me suis planté devant lui pour lui dire d'aller se mettre à l'abri des regards, car je me doutais bien qu'il n'était pas étranger à l'incendie. Mais Tamussi m'a repoussé violemment en m'insultant au passage.

— *Fuck you!*

Malgré mon désir de lui venir en aide, je savais que je ne pouvais rien pour lui: trop d'alcool et de tristesse nous séparaient à présent. Je suis quand même resté un moment à le regarder disparaître dans cette nuit noire qui n'en finissait pas de tout avaler. À sa place, je me serais sauvé dans la toundra avec mon traîneau et mon petit poêle Coleman, mais Tamussi était malheureusement trop saoul pour échafauder le moindre plan d'évasion ou pour commander à ses chiens de l'emmener très loin d'ici, au cœur du territoire, là où seuls les Rangers canadiens auraient pu lui mettre la main au collet. Il ne lui restait plus que quelques heures avant de se faire passer les menottes par le Minotaure. Un sursis comme un faux espoir.

Autour du chantier, les Inuits observaient, stupéfaits, les flammes dévorer la partie haute du revêtement extérieur. Perdu au milieu de cette foule, Thibault hurlait comme un pauvre diable en tenant son crâne échevelé dans ses mains calleuses. C'était comme s'il cherchait à le faire éclater pour se libérer de ce grand cauchemar qui durait depuis trop longtemps maintenant. Philippe est également arrivé. Hypnotisé, il regardait les copeaux enflammés arrachés à la toiture s'envoler dans le ciel en virevoltant comme des cerfs-volants devenus complètement fous. À un certain moment, j'ai même dû le tirer par le bras pour l'éloigner du brasier, qui ne demandait qu'à le consumer, comme tout le reste d'ailleurs.

— Crisse t'es fou!

Il s'est retourné vers moi en me dévoilant ce gros œil au beurre noir qui occupait la moitié de son visage, comme la face cachée de la lune. Je lui aurais probablement demandé ce qui lui était arrivé si les bouteilles d'acétylène et d'oxygène ne s'étaient pas mises à exploser en produisant des flammes gigantesques et merveilleuses. Il m'aurait alors répondu que Christian s'était jeté sur lui à la suite d'une mauvaise blague dont lui seul avait la recette. Étonnamment, Philippe n'avait pas riposté. Non seulement parce que Julie s'était une nouvelle fois interposée entre les deux hommes, mais également parce qu'il avait dû entrevoir les mesures disciplinaires auxquelles serait condamné celui qui avait porté le premier coup. Christian allait d'ailleurs être transféré au Staff House de Puvirnituq. Un village que chacun craignait pour sa violence.

Les Inuits formaient maintenant un impressionnant demi-cercle autour du chantier, dont la toiture chauffée à blanc poussait des cris de métal tordu. C'était comme s'ils se réunissaient autour d'un feu camp et qu'ils retrouvaient l'unité des jours passés. Pour ma part, je croyais le bâtiment définitivement perdu lorsqu'un petit camion de pompier a fait son apparition. Il était conduit par des premiers répondants dont les visages hagards en disaient long sur leur inexpérience. Ils ont néanmoins déroulé les boyaux et commencé à arroser la structure qui crépitait de plus en plus fort. Impuissant et immobile, je regardais mon travail des derniers mois partir en fumée. Philippe m'avait autrefois promis l'inoubliable. Il ne m'avait pas menti. J'étais ici comme nulle part ailleurs, à un endroit où le ciel, la terre et les hommes cherchaient à être suturés, une opération délicate qui demanderait encore du temps malgré les fausses promesses portées par le vent du sud et cette eau qui gelait avant d'atteindre le cœur des flammes.

ÉPILOGUE

Le chantier n'a pas complètement brûlé. Au final, seule une partie du troisième étage a été endommagée par les flammes. Deux jours plus tard, nous avons repris le travail en sachant que les échéanciers devraient encore une fois être reportés puisqu'il fallait maintenant reconstruire la partie incendiée. En toute honnêteté, ça ne me dérangeait pas d'être coincé au Nunavik pour quelques semaines encore. Par contre, je plaignais sincèrement Trois-Rivières que Thibault ne s'était pas décidé à renvoyer; sa femme et son fils l'espéraient depuis trop longtemps maintenant. Je me demandais d'ailleurs s'il n'allait pas démissionner pour retourner chez lui, tout en bas d'ici, là où le jour et la nuit se partageaient encore les heures en parts relativement égales.

Le mercredi vingt-deux décembre, j'ai quitté le chantier vers midi sans me soucier de Thibault, dont les jours étaient maintenant comptés. Le destin s'était retourné contre lui et plus personne en haut lieu ne le considérait capable de mener les travaux à leur terme. On disait même qu'un nouveau contremaître était déjà en route. Même si l'idée d'être débarrassé de Thibault me plaisait, je ne prêtais pas attention à ces rumeurs. Seul le sort réservé à Tamussi m'intéressait. Philippe m'avait d'ailleurs prévenu: l'avion qui devait l'amener vers le sud décollait à treize heures aujourd'hui.

Dehors, le soleil brillait faiblement au-dessus de la baie glacée. Dans quelques mois, un printemps éphémère viendrait à nouveau disloquer la banquise, et les Inuits reprendraient le large. Malheureusement, la chaleur des beaux jours était encore lointaine et seul le déploiement désordonné des aurores boréales apportait un peu de lumière à ce monde enténébré dont l'immensité avalait chaque grain de clarté comme un grand trou noir.

En remontant la rue principale, je me suis arrêté devant la voiture de patrouille du Minotaure. Défoncée, les vitres éclatées, une portière arrachée, elle était envahie par la neige. Je ne doutais pas que sous le couvert de la nuit, de nombreux villageois avaient contribué à ce meurtre rituel. Quelqu'un avait même tiré un coup de fusil dans le moteur pour abattre définitivement ce mastodonte d'acier. C'était une manière comme une autre de se purger, ne serait-ce qu'un seul instant, de toutes ces rancœurs inconsciemment entretenues à l'égard des autorités blanches.

Derrière la voiture, quatre Inuits s'affairaient à démonter la remise contre laquelle Martha était venue se fracasser. Même si elle était située à bonne distance de la rue principale, les villageois semblaient s'être entendus pour lui faire porter la responsabilité de l'accident. À ce compte, il ne resterait bientôt plus un seul bâtiment debout dans le village pour les abriter. Ils finiraient sous la tente, à grelotter comme autrefois, à moins que les remous cotonneux des rivières avoisinantes ne les charment finalement et qu'ils se laissent emporter très loin d'ici, vers le fond limoneux des choses, comme le fils du vieux Tulugaq autrefois.

Quelques jours après l'accident, un témoin avait néanmoins communiqué avec le Minotaure pour lui faire part de ce qu'il avait vu. Alors qu'il rentrait chez lui, il avait aperçu Martha à cheval sur sa motoneige. Elle tournait autour du village en formant des cercles concentriques. Une course folle, à l'image du soleil et de la lune dans le ciel. Sur le coup, il ne s'était pas inquiété car ce n'était pas la première fois qu'il voyait un villageois jouer les fous furieux sur un véhicule motorisé. À sa grande surprise, Martha avait soudainement obliqué droit sur la remise en criant:

— *Tukisityangilatit! Tukisityangilatit*[60] *!*

Pour le reste, tout a déjà été dit: l'arrivée de Maurice sur les lieux de l'accident, le transfert à Kuujjuaq, l'hémorragie à dix mille pieds dans les airs puis l'hospitalisation de Martha dans un hôpital du centre-ville de Montréal. Une question pourtant demeure: quel était donc le but de tous ces cercles pratiqués autour du village? Je ne sais pas. Martha cherchait peut-être à retrouver le sens du monde, ce cycle éternel autour duquel tout s'inscrit, à commencer par la migration annuelle du grand troupeau de caribous de la rivière aux Feuilles. C'est ce que je crois même si personne ne pourra jamais me le confirmer, à moins que Martha ne se réveille un jour et qu'elle ouvre un passage jusqu'à son cœur, comme le réchauffement climatique avec les eaux glacées de l'Arctique.

Je suis resté plus d'une demi-heure à regarder la lente mise à mort de la remise avant de reprendre mon chemin en direction de l'aéroport, que j'ai rapidement atteint. À l'intérieur, l'atmosphère y était suffocante.

— Jacques!

Le Minotaure se tenait debout devant moi et son regard vitreux trahissait cette affreuse fatigue que je lui avais toujours connue. J'y lisais également une tristesse infinie, celle d'un échec annoncé depuis trop longtemps. Comme au jour de mon arrivée au Nunavik, un Inuit se tenait menotté derrière lui. Malgré ses pieds et ses poings liés, Tamussi souriait obstinément. Il cherchait sans doute à masquer sa misère ou alors il voulait nous narguer une dernière fois avant d'entreprendre ce voyage qui le mènerait au pénitencier de Saint-Jérôme puis

---

60 Vous ne comprenez rien!

devant un juge de paix magistrat à Amos en Abitibi. Je me suis approché en montrant mon paquet de cigarettes au Minotaure.

— Je peux?

Il a répondu, en hochant la tête:

— *Of course!*

Sans manteau d'hiver, le ventre vide comme un puits sans eau, Tamussi ne risquait pas de s'enfuir. Tout autour du village, des congères énormes se dressaient, comme les remparts d'une forteresse imprenable. À ce compte, le Minotaure aurait pu le libérer de ses contentions si celles-ci n'avaient pas servi à un autre usage, à savoir souligner la responsabilité de ce jeune homme, qui méritait d'être traité non pas comme un enfant immature dont il fallait pardonner les excès, mais comme l'incendiaire qu'il était. Avant de passer la porte qui menait à l'extérieur, je lui ai donné une cigarette. Il m'a demandé si j'avais du feu. Je lui ai prêté mon briquet. Il m'a remercié.

— *Nakurmik!*

— *Ilaali.*

Je me sentais terriblement ridicule devant lui alors que je n'avais rien d'autre à lui offrir qu'un peu de tabac à griller. Tamussi ne semblait pourtant pas inquiet. Il fumait en parlant de ce blizzard que tout le monde prévoyait sur la côte. Il craignait seulement pour ses chiens enchaînés le long de la berge.

— Je me demande qui va s'en occuper?

Si j'avais eu le courage de Trois-Rivières, je me serais contenté de soutenir son regard sans chercher à le réconforter avec des paroles aussi vides que mon propre cœur, mais je n'ai pas su résister.

— Tu pourrais demander à un voisin?

Tamussi n'a rien répondu pour ne pas dévoiler cette tristesse que je lui devinais et qu'il cachait en lui comme un organe, une tumeur. Une fois sa cigarette terminée, juste avant d'ouvrir la porte qui menait à l'intérieur de l'aéroport, il s'est retourné vers moi en disant:

— Jacques, t'en fais pas surtout, tu sais bien que je vais être de retour dans moins d'un mois, comme pour mon père!

Sur quoi, il est allé reprendre sa place auprès du Minotaure. Je n'ai pas attendu que son avion décolle, préférant prendre le chemin de la station de pompage pour me changer les idées. Malgré le froid et le givre qui s'accumulait sur mes sourcils, je rêvais d'un petit bout de chemin à parcourir, comme autrefois, lorsque le beau visage de Sophie me revenait en mémoire. Au bout d'un kilomètre, j'ai quitté la route glacée et je me suis enfoncé dans la toundra. J'ai marché longtemps avant de trouver une pierre confortable sur laquelle m'asseoir. Cette fois, je ne me suis pas assoupi. Je savais qu'il était là, quelque part, ses petits yeux malins posés sur moi.

Pour m'occuper l'esprit, j'ai pris mon sac à dos et je l'ai vidé par terre. La botte en caoutchouc et le morceau de métal juraient sur la blancheur immaculée de la toundra. Je les ai ramassés tous les deux avant de les lancer loin devant moi pour m'en débarrasser une bonne fois pour toutes. C'est cet instant précis qu'il a choisi pour faire son apparition. Un loup tout de gris vêtu, comme si la nuit et le jour s'étaient mariés pour l'habiller. J'étais effrayé, mais je savais cette fois que personne ne se précipiterait à mon secours. Les Inuits se reposaient dans leurs maisons préfabriquées en rêvant du grand troupeau de caribous de la rivière aux Feuilles qui ne reviendrait pas avant l'été prochain.

Le vent a encore soufflé très fort. Une sorte de rugissement à vous rendre fou. Cette fois, si je frissonnais, ce n'était pas à cause de la météo ni de ce loup énorme qui se dressait à nouveau devant moi à la manière d'un mauvais rêve cherchant à se matérialiser dans la réalité. C'était une tout autre chose. Une impression terrible. Comme si des feux brûlaient toujours tout en dedans de nous et pour longtemps encore, malgré l'absence des arbres et le vide apparent des choses.

FIN.

REMERCIEMENTS

Pour leurs nombreux conseils et leur soutien constant, je tiens à remercier Jean-Marie Moutquin, Vincent Fortin, Geneviève Thibault-Gervais, Maxime Laliberté, Alexis Fortier-Gauthier, Geneviève Auclair, Sarollie Inukpuk et Anna Lewis.

LEXIQUE

Aa: Oui.

Aassuk: Je ne sais pas.

Ajurnamat: Tant pis.

Akulivik: Village Inuit dont le nom fait référence à la configuration géographique de son emplacement: une péninsule qui avance dans la baie d'Hudson entre deux étendues d'eau et qui rappelle la forme d'un *kakivak*, soit un harpon inuit traditionnel en forme de trident.

Algonquins: Groupe de communautés autochtones de langue algonquienne vivant dans l'ouest du Québec et en Ontario, autour de la rivière des Outaouais.

Amaruq: Loup.

Amauti: Vêtement traditionnel porté par les femmes dont l'avant descend assez bas pour servir de couverture au bébé et l'arrière assez long pour permettre de s'asseoir en s'isolant dans la neige.

Assunai: Salut (en partant).

Atiilu: Encore.

Atikamekw: Peuple autochtone occupant un territoire situé dans la vallée de la rivière Saint-Maurice et chevauchant les régions de l'Abitibi, du Lac-Saint-Jean, du Centre-du-Québec et de Lanaudière.

Auka: Non.

Banique: Pain de survie amérindien.

Chisasibi: Municipalité crie située sur la rive sud de la Grande Rivière.

Cris: Peuple autochtone occupant un important territoire au sud et à l'est de la baie d'Hudson et autour de la baie James.

Igunaq: Viande de phoque ou de morse faisandée.

Ilaali: De rien.

Inuk: Singulier de «inuit» en inuktitut, soit «un homme».

Inukjuak: Village inuit dont le nom signifie «le géant».

Inuksuit: Formé pluriel de «inukshuk», soit un empilement de pierres pouvant prendre différentes formes et servant à guider les voyageurs, à annoncer un danger imminent, à indiquer un lieu sacré ou à faciliter la chasse aux caribous.

Innus: Les Innus, autrefois appelés Montagnais, sont un peuple autochtone originaire de l'est de la péninsule du Labrador.

Iqaluk: Omble de l'Arctique.

Ivujivik: Village le plus septentrional du Québec et dont le nom signifie «là où les glaces s'accumulent en raison des forts courants».

Kamiik: Bottes.

Kangiqsualujjuaq: Situé à environ 160 km au nord-est de Kuujjuaq, Kangiqsualujjuaq est le village le plus à l'est du Nunavik. Son nom signifie «la très grande baie» en inuktitut.

Kinauvit: Comment t'appelles-tu.

Kugaaluk: Grande rivière (sous-entendant «où il y a du poisson»).

Kuujjuaq: Village nordique du Nunavik situé sur le bord de la rivière Koksoak au sud de la baie d'Ungava. Anciennement appelé Fort Chimo, il est le chef-lieu de l'Administration régionale Kativik.

Kuujjuarapik: Village situé à l'embouchure de la Grande rivière de la Baleine et dont le nom signifie «petite grande rivière» en inuktitut.

Mattaq: Morceau de peau et de gras de béluga.

Medevac: Contraction de *Medical evacuation*.

Murungilaurit: Cesse de japper.

Nakurmik: Merci.

Nanuq: Ours polaire.

Nasak: Tuque traditionnelle.

Nunavik: Appelé autrefois le Nouveau-Québec, le Nunavik, soit «la terre où vivre» en inuktitut, est situé à l'extrême nord du Québec. Il s'agit d'un territoire dont la superficie est de 507 000 kilomètres carrés.

Nutilliq: Truite rouge.

Puvirnituq: Village situé sur les rives de la baie d'Hudson et dont le nom signifie «là où il y a une odeur de viande putréfiée» en inuktitut.

Qaigit: Viens ici.

Qallunaat: Terme inuktitut signifiant «grands sourcils» et servant à désigner les hommes blancs. Au singulier, il faudra dire *Qallunaaq.*

Qanuippit: Comment ça va.

Qanuinngilanga: Ça va bien.

Qilalugaq: Béluga.

Qimmiit: Chiens.

Qisik: peau de phoque.

Quaqtaq: Le village de Quaqtaq est situé sur la rive est de la baie Diana, appelée Tuvaaluk (la grande banquise). «Quaqtaq» signifie «ver solitaire» en inuktitut.

Qulliq: Lampe traditionnelle en pierre.

Quvianartuvik: Mot inuktitut servant à désigner le paradis et se traduisant par «là où l'on ressent une grande joie».

Rangers canadiens: Originalement créés en 1947, les Rangers canadiens protègent la souveraineté du Canada en signalant des activités ou des phénomènes inhabituels, en recueillant, localement, des données d'importance pour les opérations militaires et en effectuant, au besoin, des patrouilles de surveillance ou de protection.

Salluit: Village situé dans le détroit d'Hudson, à l'est d'Ivujivik et du cap de Wolstenholme, et dont le nom signifie «les gens minces» en inuktitut.

Sunauna: Qu'est-ce que c'est.

Takugit: Regarde.

Tikkipput: Ils arrivent.

Tiriganniaq: Renard blanc.

Tukisignilatit: Vous ne comprenez rien.

Tukisivit: Comprends-tu.

Tuugaalik: Narval.

Twin Otter: Petit avion bimoteur pouvant atterrir et décoller sur une courte piste.

Ujjuq: Phoque barbu.

Ulu: Couteau traditionnel en forme de demi-lune.

… *Uvunga:* Je m'appelle…

Waskaganish: Village cri de la région de Baie-James situé au confluent des rivières Nottaway, Broadback, Rupert et Pontax, sur la rive orientale de la baie James.

Wemindji: Municipalité crie située dans la région de la Jamésie.

Wemotaci: Village atikamekw dont le nom signifie «la montagne d'où l'on observe».

RECYCLÉ
Papier fait à partir
de matériaux recyclés
FSC® C103567

FSC
www.fsc.org

MARQUIS

Marquis Imprimeur inc.

Québec, Canada
2012

Imprimé sur du papier Silva Enviro 100% postconsommation traité sans chlore, accrédité ÉcoLogo et fait à partir de biogaz.